JN119242

新 山陰の民話とわらべ歌

まえがき

筆者が前著『さんいんの民話とわらべ歌』の初版をハーベスト出版から出したのが、二〇一〇年（平成二十二）四月だった。一〇年を経過した今日、五刷を重ねている。この本は島根県を出雲、石見、隠岐。鳥取県を東部、中部、西部の合計六地域に分け、各地域三話の民話と三曲のわらべ歌を紹介し、それぞれに詳しい解説を加えたものであった。いずれも筆者が直接語り手や歌い手から録音したものである。

この本をテキストとして島根県立大学松江キャンパスとか、島根県立石見高等看護学院など講義をしていたが、資料そのものはまだまだ手元にたくさん残っている。せっかくならばそのままにしておくのも惜しいと考え、今回、同じ体裁で別な話と歌を取り上げ、本書『新山陰の民話とわらべ歌』として、今井出版から上梓することにした。

時代は進み、だれでも手軽にスマホやタブレットを駆使するようになっているので、今回の資料の一つ一つの話や歌に二次元バーコード（俗にＱＲコードという）をつけることにした。

筆者が収録した当時の録音音声をそれで拾えるようにしたのが本書の特色である。なにしろ半世紀以上前の録音がほとんどなので、伝承者の大半は物故なさっているが、読者はスマホなどの機器を手軽に操作しながら、録音当時の伝承者の肉声に接していただき、口承文芸（民話やわらべ歌など）の魅力を知っていただきたいと願っている。

筆者は口承文芸を無形民俗文化財と位置づけ、それらに収められている祖先からの風俗や習慣、思想などを読み取ってゆくべきだと考えている。本書が機縁となって口承文芸の価値を理解していただければ、これほどありがたいことはない。

そのような期待を込めて本書のまえがきとしたい。

二〇二一年一月吉日

酒井董美

目　次

まえがき……3

民話編

出雲

若水汲み（仁多郡奥出雲町竹崎）……11
姉は鬼（飯石郡飯南町角井）……19
天人女房（松江市美保関町万原）……25

石見

カタツムリの息子（鹿足郡吉賀町白谷）……33
菖蒲が廻の婆（浜田市三隅町東平原）……41
千年比丘尼（浜田市下府町）……51

隠岐

横着者の話（隠岐郡隠岐の島町郡）……61
蛸屋八兵衛（隠岐郡知夫村薄毛）……73
テンテンコウシ（隠岐郡西ノ島町波止）……83

東部

三枚のお札（八頭郡智頭町波多）……91
おりゅうと柳（八頭郡智頭町波多）……99
地蔵浄土（八頭郡智頭町波多）……109

中部

猫檀家（東伯郡三朝町大谷）……119
ホトトギスの鳴き声（東伯郡琴浦町高岡）……129
博打うちと呪宝（倉吉市湊町）……137

西部

狐のかたき討ち（西伯郡大山町高橋）……147
富山の薬売りの化け物退治（米子市観音寺）……155
舌切り雀（境港市朝日町）……165

わらべ歌編

出雲

こいしこうらい（松江市雑賀町）……177
親ごに離れて（安来市広瀬町西比田）……181
正月の神さん（松江市島根町多古）……185

石見

うしろのどーん（江津市桜江町川戸）……189
びりがびっちょう（浜田市三隅町芦谷）……193
蛍　蛍　こっち来い（大田市川合町吉永）……197

隠岐

トンボ　トンボ（隠岐郡海士町御波）……201
レンゲつむか　花つむか（隠岐郡隠岐の島町中町）……205
正月つぁん　正月つぁん（隠岐郡西ノ島町三度）……211

東部

山の奥のハマグリと（鳥取市佐治町尾際）……215

お月さんなんぼ（鳥取市福部町湯山）……219
一つとせ　燭に笈づる（八頭郡智頭町宇波）……225
中部
一つとせ　人も通らぬ山道を（東伯郡琴浦町高岡）……229
カラス　カラス　勘三郎（東伯郡北栄町米里）……233
一わとかわせ　わしゃ石割らん（東伯郡湯梨浜町原）……237
西部
うちの隣の赤猫が（米子市富益町）……241
青葉しげちゃん昨日は（米子市観音寺）……245
お姉ちゃん　お姉ちゃん（日野郡江府町御机）……249
あとがき……253
著者略歴・イラスト作者略歴……254

表紙・イラスト　福本隆男

民話編

●二次元バーコードの活用について

文明の進歩はとどまるところを知らない。若い頃、録音収集した口承文芸類も、現代では、ユーチューブにしたり、パソコンのホームページに登載さえしておけば、それを利用して二次元バーコード（QRコードのこと）を作成することで、CDとかDVDなどに頼らなくても、スマホなどでそれを読み取ることによって、録音当時の語り手や歌い手の音声が再現されるようになるのであるから驚きである。

その昔、筆者などが古老を訪ねて録音していたころでは、ここまで出来るようになるとは、まったく考えも及ばなかったのである。

以前ならば、苦労して民話集やわらべ歌集を単行本に仕上げても、活字を追って語りや歌の調子を想像することしかできなかったのである。しかしそれでは書き言葉としての理解ができても音声学の観点からの理解はお預けだった。

しかし、今の時代はその心配は無用である。上記のような方法を採れば、どなたでも音声を公開することは可能である。筆者は二次元バーコードの特性を活用して活字文化の中に取り入れようと、実践を試みているのである。

新聞では令和二年八月から『島根日日新聞』に連載を開始した「島根の民話」に二次元バーコードを表記し、読者にスマホなどで自由に語り手の民話を再生してもらい楽しんでいただけるようにした。

書籍では同年十一月に今井出版から発刊した『海士町の民話と伝承歌』がそれである。四十年以上も昔、県立隠岐島前高校郷土部が中心となって収録した民話や伝承歌（わらべ歌、労作歌、祝い歌など）が、こうして生き返った。ユーチューブ作成に協力されたのは、海士町の隠岐アイランズ・メディアである。また、この本もそれぞれのホームページにつながり、そのようにして聴けるように作られているのである。

山陰の片隅にあって、全国に先駆けてこのような活用が行われていることを、筆者は心から誇りに思っているのである。

若水汲み

若水汲み

仁多郡奥出雲町竹崎

昔があったそうです。
あるところにおじいさんとおばあさんがいました。
正月の若水を汲みにおばあさんが行って、水を汲んでいたところ、杉の木にヨズクがとまって、

　テレツケ　ホーセー　ホーホー
　テレツケ　ホーセー　ホーホー

と鳴くので、
「われはヨズクか、わしゃ福ズクだ」

と言っておばあさんが水を汲みました。その水を家へ持って帰って、台所の流しへ置いて、餅を煮て食べるため、その水を取りに行ったら、水桶の中に白いものがたくさん見えます。何があるのだろうかと思ってよく見たら、なんとそれは白金ではありませんか。

おばあさんはそれを膳に置いて、神さまのところへ持って行って飾っていました。そこへ隣のおばあさんがやって来ました。

「まあ、ここにはどげしたことかい。えらいたくさん、銭があぁが」

と言いますので、その家のおばあさんが、

「そりゃあ、おらが若水汲みに行きて、水ぅ汲んなかいにヨズクが来て、テレツケ、ホーセー、テレツケ、ホーセー言いもんだけん、『われはヨズクか、わしゃ福ズクだわ』言いて、持ってもどって流しに置いて餅を煮て食わぁと思うたら、ちゃぁんといっぱい、こうがあったもんだけん、そうかぁ、神さんに飾っちょうとこだわね」

と答えました。

「やあぁ、こりゃいいことを聞いた。おらもほんなら、いんでそげぇすうぞ」

と隣のおばあさんは、それから、すぐ翌日の朝、水汲みに井戸へ行って、水を汲んでいたところ、またヨズクが来て、木にとまって、

テレツケ　ホーセー
テレツケ　ホーセー

鳴くので、

「われはヨズクか、わしゃウズクだわい」

と、その「福ズク」と言うところを言いまちがえて、「ウズク」だと言ってしまったばっかりに、帰ったらとても体(からだ)がうずいて、とうとうそのおばあさんは死(し)んだそうです。

それで、他人(たにん)がよいことをしたからといって、自分(じぶん)も真似(まね)をしてよいことをしてやろうと考(かんが)えることは、まちがいということです。

それで昔こっぽし。

〈語り手　田和朝子さん・明治40年生＝昭和47年4月30日収録〉

解説

この「若水汲み」は、確かにわが国の説話と認定できる本格昔話らしい形を取っている。しかし、関敬吾『日本昔話大成』の中には話型が存在しない。ただ一ヶ所、京都に類話のあることを知っている。出典は『季刊民話』創刊号（昭和三十八年十二月、民話と文学の会刊）の細見正三郎氏の「節分さんの福づけ」である。全文を引用しよう。語り手は、京都府伊根町津母の浜野むめさん（明治二十五年生）である。

節分さんの晩げ、旦那さんが豆まきしょうと縁を開けたら、大きなフクロウが通るさかい、ああ、こりゃめでたい鳥が通る思って、

「フクロウやフクロ、われもこれから福づけよ。うらもこれから福づこうぜ」

いうて豆まいたところが、へたらまァ、その家はなんぼでも福づいて分限者になったさかい。

隣のおっさんがそれ聞いて、うらも来年の節分さんにャ、豆まきに縁ィ出てみろうと思っていたら、ほたら、また大けなフクロウが通るさかい、はァ、嬉しくて、嬉しくて、

「フクロやフクロ、われもこれから福づけよ」いうたまではよかったが、あんまり嬉しくて、その先いうのを忘れて、思わず、

「われもこれからうずこうぜ」いうてしもた。

へえたらなんと、疼いて疼いて病気になって、そのおっさんは貧乏ンなったいう。

………むかしのたいこたいこ。

両者を比べてみると、島根県の話は「元旦の若水汲み」であるのに対して後者の方は「節分の豆まき」となっている。そして主人公は前者が婆さんであるのに対して、後者は爺さんである。したがって一見、似て非なるもののように思われそうではあるが、言語伝承の点から考えれば、これくらいの違いはあまり気にすることではない。それよりも大きな立場から眺めてみると、次のように等しく解釈できるのである。

まず、元旦と節分の違いは、共にハレの日ということで統一できるし、若水汲みと豆まきの行為もハレの日の行事ということで同様に解釈できる。そして、何よりも重視して考えたいのは、話の構造とモチーフが基本的には共通しているということなのである。

《前半部》

【主人公】　フクロウの飛来→「福ずく（福づこう）」の呼びかけ→幸福の到来

《後半部》

【隣　人】　フクロウの飛来→「疼く（疼こう）」の呼びかけ→不幸の到来

両者とも「隣人」型（「取り付くひっつく」「花咲か爺」「鼠浄土」「猿地蔵」など主人公が成功し、それをまねた隣人が失敗する筋書きを持つ一連の昔話をいう）特有のまことにみごとな対照を示し、前半部・後半部のそれぞれが三段論法から成っていることがよく分かる。そしてこの二つの話に見られるモチーフが共通していることは、また何を物語るのであろうか。それは遠い過去にさかのぼって考えると、両者は同じ話ではなかったかと結論できるのではないかと思われることなのである。

私が本格昔話と考える理由を挙げるのには、次の理由がある。

本格昔話の中に「隣の爺」と分類されている一群のものがある。それは主人公の行いが成功し、富を得るが、それを羨んだ隣人が真似をして失敗する話である。

具体例として関敬吾『日本昔話大成』に紹介されているタイトルを挙げておこう。地蔵浄土、鼠浄土、継子と亡霊、雁取爺、鳥呑爺、竹取爺、花咲爺、舌切り雀、腰折爺、蟹の甲、瘤取爺、猿地蔵、見るなの屋敷。

いずれも主人公の成功を真似て隣人が失敗する話である。この「若水汲み」は、主人公が成功して白金を得たが、同じようにして隣人が真似たところ、言葉を間違えたばっかりに失敗してしまう。わが国の古代信仰ともいうべき言霊信仰を背景に持った昔話であり、確かに本格昔話の一つとして認めるべきものなのである。

●二次元バーコードを活用した出版の夢

QRコードというのは自動車部品メーカーである株式会社デンソーウェーブの登録商標なので、勝手に使うことは出来ないが、現実には世間で一般的に使われているようである。QRコードが登録商標でむやみに、この用語が使えないとなれば、どう表現するのかといえば「二次元バーコード」というそうだ。現実には「QRコード」が大手を振って使われているようだが。

それはともかく、これは現代の文化革命であろう。紙に記しておき、スマホで読み取って開けば、細かい解説を読むことが出来、何かと便利だ。筆者の場合、過去に収録した音源を登録したホームページとかユーチューブで、新聞とか書籍に発表した民話やわらべ歌などに、二次元バーコードをつけ、読者がスマホなどで読み取って開き、当時の伝承者の音声を再生して聴く方法を活用すれば、臨場感を味わえ、こんな素晴らしいことはないのである。

音声にかかわる研究者や学会関係者もこれからは、これを活用してよりよい発表が出来るはずである。

そう考えると、後期高齢者になった筆者であるが、次々と出版の夢が沸いてくる。過去に出版した書籍でも装いを新たにして二次元バーコード付で発刊することはいかがだろうか、とまず考えたい。ただし、それにはパソコンのホームページとかユーチューブで、話や歌が聴ける仕組みがないとできない。そのためには民話や伝承歌が無形民俗文化財であることを理解し、これらを作ってくれるところが必要である。

現在、鳥取県では鳥取県立博物館のＨＰに民話とわらべ歌を登載したホームページが立派に存在している。東部、中部、西部各地区ごとに三十話の民話と同数のわらべ歌が登載されている。

島根県では隠岐郡海士町にユーチューブで民話四十六話、伝承歌（手まり歌や田植え歌、盆歌、口説き歌、祝い歌など）が十二曲発表されている。

これらの先進地に倣って、今後、次々各地でこうなれば、本を読みつつ同時に語りや歌も聴ける時代になっていくと筆者は期待しているところである。

姉は鬼

姉は鬼

飯石郡飯南町角井

なんと昔があったげな。昔、お父さんとお母さんと、それから姉さんと弟が住んでいたげな。

そうしたらお父さんとお母さんはそのうち死んでしまわれたげな。

それで、姉弟二人で大きくなっていったげな。ところが、姉さんが毎日、夜になったら、

「ついて来うでないよ」と言って、決まったように出て行くので、弟はいつも、

―何するだろう―と思って不思議な気がしていたけれど、

―何でも今晩はついていって見ちゃるが―と思って、姉さんの後をついて行ったら、何と姉さんは山の中へ入って、墓の方へ行くので、こわいことだと思って追って行ったら、姉さんは、その日に死んだ人をひっぱり出して、それから、角の生えた恐ろしい鬼の顔になって、その死人をがりがりがりがりおいしそうに食べ出したげな。

で、弟は恐ろしくて恐ろしくてとんで帰ったげな。

またあくる晩も、姉さんが出て行くので、弟は恐ろしくはあったけれど、ついて行ってみたら、また夕べのとおりに、死人を出してごりごり食べる。弟はそのあくる晩もまたついて行ったいうて。そうしたら、ちょっと近くにおったでその棺の蓋を取ったのが当たったいって。

「痛い！」と弟が言ったげな。そしたら、姉さんが、

「われ見るな、言うたのに見とったかい。よし、おまえもいっしょに食っちゃる」と言って追いかけてきたので、いや、恐ろしくて恐ろしくて弟はとんで逃げたげな。

それから、その家は恐ろしくて鬼の姉さんのところへは帰られないので、弟はそれからどこか旅に出たのだげな。

何年かして弟は、姉さんが元気でいるものかどうかと思って家へ帰ってみたら、姉さんは鏡を立てて、ビンつけをつけて髪を結っていた。それでまあ、

「元気だったか」言って、少し話をしていたげな。そしたら二匹の白鼠が出て、弟のワラジの紐を一生懸命ひっぱるいって。

「早う出て行け、出て行け」言ってひっぱるので、それが死んだお父さんとお母さんだったかも知れない。

それで弟も、とうとう恐ろしくなって、とんで出たら、

「われ待て、食べちゃるけえ」と言って、また姉さんがものすごい顔して、鬼になって追いかけたいって。で、弟は恐ろしくて恐ろしくてどこまでもとんで行ったいって。まあ、これでこっぽしだ。

〈語り手　中原ワイさん・大正10年生＝昭和63年8月2日収録〉

解説

この「姉は鬼」はなかなか見つからない話であり、私はここ山陰地方ではただ一つ聞くことが出来たものである。関敬吾『日本昔話大成』でその戸籍を調べると本格昔話の中の「逃竄譚」に「妹は鬼」として次のように存在している。

二四九　妹は鬼

1、兄妹と両親の四人。兄は妹が鬼であるのを両親に告げてかえって家を追われる。2、兄は旅に出るが、鏡がくもって親の変事を知って帰る。3、妹が外に出る間、兄に太鼓をたたかせる。4、二匹の鼠（妹の鬼に食われ鼠となった両親）が来て代わって尻尾で太鼓をたたく。5、兄は妹の鬼に追われて逃げる。(a)兄が鷲・鷹（鴬と孔雀・蚊）または(b)妻が（鏡がくもり夫の危機を知り）熊（虎）を放つ。6、これらが鬼（姥）を食い殺す。

飯南町の話は、話型では妹となっているのが姉になっており、最後が弟はどこまでも逃げるというところで終わっているという違いが認められるだけである。

●コラボ企画による口承文芸文化の活用について

先に二次元バーコードについて述べておいたが、腹案として、それを利用したどのような単行本が出せそうかということを挙げておきたい。

ただ、その前提には繰り返すようだがホームページとかユーチューブで、それらの話や歌が発表されている必要がある。そのことを条件にすれば、本土ではまず仁多郡奥出雲町の民話がある。

これは約十年前の平成二十三年二月に、奥出雲文化協会によって出版された「ふるさと奥出雲①」『奥出雲の民話』がある。ここには、筆者の収録した民話二〇話を収め、付属のCDには収録当時の音声で三話（「初夢長者」「天人女房」以上・安部イトさん、「絵姿女房」千原貞四郎さん）を収めているので聴くことが出来る。けれどもCDで三話再生できるだけであるので、もしも奥出雲町でホームページにでもしておけば、二次元バーコードを刷り込むことで、スマホなどで全話聴くことが可能になるはずである。

もう一つ可能性が高いと思われるのに隠岐郡知夫村の民話集がある。

元の本は昭和五十一年十二月に隠岐島前高校郷土部が、この年の夏、知夫里島で収録したもので、民話七十八話ほか、わらべ歌、労作歌、盆踊り口説きなどが収めてある。それを精選、選抜して編集し直せば、知夫村の無形民俗文化財として、村の歴史に残るものになると思われる。昭和五十一年といえば、約四十四年前になる。ざっと半世紀前ということになるのであるから、歳月の経過の早さに今更ながら圧倒されるばかりである。

問題は奥出雲町にしろ知夫村にしろ、行政側にホームページとかユーチューブを作る意欲があるかどうかに、まずかかっているのである。

筆者の手元には録音したカセットが保存されているので、このような要請があればいつでも応じることが出来る。

手軽に昔の語り手の音声が活用できる時代を有意義にしたいと思うのは筆者ばかりではあるまい。

天人女房

天人女房

松江市美保関町万原

とんとん昔があったげな。

炭焼きおやじさんが炭を焼いていたら、向こうをきれいなお姫さんが通りかかられたげな。

―どうされるのだろうか―とおやじさんが見ていたら、お姫さんは美しい天の羽衣というものを堤の側の木の枝に引っかけておいて、水浴びをされるのだげな。それで炭焼きおやじさんは出来心で、その羽衣がほしくなり、羽衣を盗んで家へ帰ったげな。

お姫さんは水浴びが終わって羽衣を着ようと思われたけれどないので、―山の向こうに煙が出ていたが、あの炭焼きおやじの仕業かな―と思って、家へ訪ねて行かれたげな。

「ごめんくださいまし、暮れ暮れになっておじゃまに来ましたが、今日、水浴びに行っちょったら、天の羽衣を失ってしまって、おまえさんの目にとまって拾ってごさっしゃったらぁかと思って聞きに来ましたが」

「いや、そげなもんなんか、わしの用のないもんだ。拾いもせんが見てもおらん」

「ないて言われぇもんならしかたがないが、ここには奥さんもないすこだけん、わしをここの嫁にしてごさっしゃらんか」

「うーん、そげかね。ここは貧乏でおまえさんみたいなきれいな人に、嬶になってごさっしゃいなんて言ったって、無理な話だと思うが」

「いんや、どげな貧乏なとこでもいいけん、どげぞおまえさんの嫁にしてごさっしゃい」

「そうが承知ならなってごさっしゃい」。お姫さんは嫁さんにしてもらったげな。

それから、炭焼きおやじさんは毎日毎日喜んで炭焼きに行っていたげな。月日の経つのは早いもので、三年も経つと赤ちゃんが生まれたのでテッパチと名をつけたげな。

テッパチがだいぶん大きくなって、羽衣を見つけたので、おやじさんが炭焼きに行った後、

「おかか、なんてて、きれいなもんがあった。出いてあぎょうか」

「うん、そげなら早こと見しぇてごしぇ」

見ると例の羽衣だったげな。

「どこにこうが隠いてあった？」

「あのね、自在鈎の中にあったと思わっしゃい」

「ふーん、おかかは元々天の人間だども、こうがなて天へ上があことができで困っちょっただ。これでおまえと一緒に天に上があだけん」と晩におやじさんの帰るのを待っていたげな。そして帰って来たら、

「今日、テッパチがおまえさんの留守に預かってごさっしゃったもんを出いてごいたので、明日は天へ上がらと思うけん」

「ま、よもよも自分が隠いちょっただけん、しかたがない」

「ほんなら、子どもも天へ連ぇて帰ええことだし、おまえさんも来たかったら、門へ朴の木を植えておいてあげえけん、毎朝、上酒を一斗わて、七斗ついでごさっしゃい。そんならこの朴の木が天に届くけん、この木に登って天へ上がらっしゃいよ」

そう言い残すとお姫さんは、次の朝、テッパチを小脇に抱え、天の羽衣を身体へかけて、ひらりひらりと彼方の空へ上がって見えなくなられたげな。

おやじは炭焼きなどは手につかず、毎朝起きがけに、上酒をその朴の木の根元へついで六日まで続けたものの、早く天へ上がりたくなって、

「まあええわ、一斗つがんてて、天へ届いちょうだらぞ」と、朴の木に登りだしたげな。しか

し、一斗足らなかったために朴の木は天に届いていなかったげな。

—ああ、嬶はテッパチを連れて上がっちょうけん、あいつを呼んでみちゃらか—と思って、

「テッパチやあ、テッパチやあ」と呼んだら、テッパチがその声を聞きつけて、

「お父さんだ。早こと呼んであげんならん」と、天から長い布をぶらさげてあげて、

「こうにさばらっしゃいよ」と引き上げてあげたげな。するとお姫さんも、

「ああ、おまえさん、よう上がらっしゃった。お酒が足らで天へ届かだったに。まあ、ここで暮らさっしゃあには舅さんがどげな難しいことを言わっしゃっても『やだ』てえことさえ言わっしゃらな、ここにおられえし、『もういやだ』と言わっしゃったら、そのまま下へ降りてもらわにゃいけませんがねえ」と言われたら、おやじさんも、

「ああ、ああ、それぐらいなことなら聞くけん」と約束して、その夜はすぎたげな。

それから朝、舅さんに向かって、

「あの、今日は何しましょうかね」

「向こうに粟畑がああけん、この八斗の種を八反のその畑に蒔いてもどらっしゃい」

「はいはい」

おやじはそこへ行って蒔きかけたけれど、二畝三畝蒔いたら、もう昼になったげな。しかた

がないと思っていたら、後からお姫さんが弁当を持ってきて、

「お父っつぁん、来ましたで、おまえさん、この弁当食べてごさっしゃい。そげすうとわしがテゴしちょいて（手伝って）あげえけん」と言う。おやじさんが弁当を食べて昼休みしている間に、神さんであるお姫さんは、すぐ八斗の粟を八反の畑に蒔いて帰って行ったげな。

それから、また次の日、

「今日は何しましょうか」

「今日はのう、昨日蒔かした種を一粒残らず八斗の枡に拾ってもどうだでや」

「はいはい」

昼になると、またお姫さんが弁当を持って来て、おやじさんが食べているうちに、お姫さんがカンチクヨウチョウの笛という笛を取り出して吹かれたら、何千羽という鳥がどこからともなく飛んで来て、八斗の粟の種をちょいちょく、ちょいちょく、ちょいちょく、ちょいちょくと拾って取りまとめたげな。それでおやじさんはそれを袋に入れて負って帰ったげな。

次の日。

「今日はのう、家の下の川を渡った向こうに瓜や西瓜が植えてああけん、その西瓜や瓜の草を取ってごっさい」

「はいはい」

おやじさんが行ってみたら、とてもたくさんの瓜や西瓜が成っていたげな。お姫さんはおやじさんの出るときに、

「なんぼ瓜や西瓜が成っちょっても、一つだし食うなよ」と言っておかれたのだけれども、あまりりっぱに熟れているので、

——一つぐらいむしって食っても分かあせんわい——と思って、味瓜を一つ、爪でプツンとむしって食べたら、さあ、食べるか食べないうちに大水になってしまい、後からお姫さんが弁当を持って来られたものの、川が渡られなくなったので、お姫さんは、

「おまえさんが瓜食わっしゃったけん、もう逢われんがね、しかたがない。月の七日、七日に逢わやね」と言ったら、

「何だああ、川の音がして聞こえんがなあ。七月七日に逢わぞやあ」と、おやじさんが答えたげな。それで七夕さんは一年に一ぺん、七月七日にしか逢うことができぬようになったのだげな。

とんとん、そうでこっぽち。

〔語り手　梅木芳子さん・明治37年生＝昭和45年7月25日収録〕

解説

この話は関敬吾『日本昔話大成』で見ると本格昔話「婚姻・異類女房」の中にある「天人女房」に該当する。次に戸籍を紹介しておく。

一一八　天人女房

1、漁夫（樵夫）が妻を得たいと神に祈願する。2、(a)神の教えによって、(b)助けた動物の援助によって、あるいは(c)偶然に池（川・湖・海辺）で天女（一人または数人）が水浴しているのを発見する。3、一人の羽衣をうばい、家に連れて帰って妻にする。4、一人または数人（三人）の子供が生まれる。5、天女は(a)自身で、(b)子供の暗示によって、(c)夫の不注意な口外によって、羽衣を発見する。6、それを着て天女は(a)単独で、または(b)子供を連れて天に帰る。7、夫は天女が教えた方法によって、植物（竹・瓜）を植え、それをつたって天にのぼる。8、(a)夫は天女の父が課した課題を果たして再び夫婦になる。または(b)失敗して夫婦になれない。

梅木芳子さんの話は、大きく眺めれば話型の通りである。生まれた子どもはテッパチが一人であり、羽衣はテッパチの言葉で隠し場所を教えられることになっており、天に上った夫である炭焼きおやじが天女の親の出す難題に対して妻の天女の助言を守らなかったばっかりに、大水が出て別れざるを得なくなり、七夕由来の話になるという件（くだ）りで終わるのが、広くわが国に伝えられている話である。なお、この話は韓国や中国にも広く伝えられているのである。

カタツムリの息子

カタツムリの息子

鹿足郡吉賀町白谷

あるところにおじいさんとおばあさんが、子どもがないといって、毎日毎日心配しておりました。そして、神さまにも仏さまにも子どもが授かるよう頼んでいました。

おばあさんがお茶を摘んでいましたら、

「ばあさ、ばあさ、子んなりましょう。この茶の木の中におります」という声が聞こえてきましたので、おばあさんが見ますと、かわいいカタツムリがおりました。そして、

「私が子になるんでございます」と言いましたから、おばあさんは手の平にそのカタツムリを乗せて家へ帰り、おじいさんの帰って来るのを待っておりました。

「おじいさん、こんに、今日茶畑で子どもを拾うてきた」

「はあー、そうか、そりゃ結構なこと。まあかわいい。こりゃええ子じゃ」とおじいさんも喜んで、手の平へ乗せて、二人であちらへ取りこちらへ取りしておりました。

明くる日。おじいさんが酒屋へ薪を持って行こうと馬に積んでいましたら、

「おじいさん。私が持って行く」

「おまえが持って行くのは、とても手に合わんから」

「いや、苞の中に私を入れて、それを馬の鞍につけてつかあされえ。そしたら持って行くから」。

そこでそうしたら、「たせへせ、たせへせ……」とカタツムリの子は鞍のところから言って、
馬を使って、酒屋の門へ行きました。

「じいの方から木を持ってまいりました」

「どこにおるか」

「こんに、苞の中におります」。苞を解いて見れば、かわいいカタツムリなので、

「ま、こりゃええ子を求めたもんじゃ」。家内中がみんな出てきて、あっちへ取り、こっちへ
取りします。そこにはきれいなお嬢さんが三人もおられて、

「まあ、かわいい、かわいい」

「かわいい」と言って、お金を苞の中へ入れ、カタツムリも入れてやりましたら、カタツムリ
は、わが家へ帰って行きました。

「こんに帰りました」と言うのでおじいさんやおばあさんが出して見ると、お金も入れてあり

ます。

ところが、カタツムリはご飯も食べずに奥の間に入って布団をかぶって寝てしまいましたので、

「どうしておまえは起きてご飯を食べんか」と言っても、カタツムリは何とも言いません。

そこでおじいさんとおばあさんは隣のおばあさんを呼んで来ました。

「おばあさん、うちの子はご飯も食べんこうに寝てしもうたが、どうか様子を聞いてみてくれんさい」。それから聞きますと、

「酒屋に娘が三人おれたが、どの娘さんか嫁さんにほしい」

「それは及ばんことだけえ」

そう言ってもカタツムリは聞きません。

「まあ、だめでもどうでも言うてみてくれえ」。そこで、しかたなく隣のおばあさんが、酒屋へ行って頼みますと、今度は酒屋の親方が布団をかぶって寝てしまいました。そこで一番目のお姉さんが、

「お父さま。起きてご飯をあがれ。なしてご飯をあがらんか」と言いましたら、

「おまえがカタツムリの方へ嫁に行ってくれれば、起きて食べる」

「いやいや、私ゃ、ホイトウ（乞食）してでも、嫁によう行きません」。しかたがないので二番目の娘に言ったところが、

「私ゃ、紙袋を下げて歩いても、カタツムリの方へは嫁には行きません」

「それではどうしようがないから、わしゃ起きて、飯ぁ食べん」。今度は一番小さい娘が来たので言いますと、

「そりゃ、あなたのおっしゃることなら、カタツムリの方へでもどこへでも行きますから、起きてご飯を食べてください」

そこで、お父さんは起きてご飯を食べて、二人の上の娘は追い出して、一番下の娘にはりっぱな支度をして嫁にやりました。

ある天気のよい日にカタツムリは、

「今日は海辺へ行こう」というので娘は手の平へカタツムリを乗せて行ったところが、カタツムリは、

「この石の上へわしを置いて、そいでこの石でわしをたたきめいでくれえ。そいで針に糸を通して海へ放ってくれい」

「わしがそねいなことをしたら、あんたが死にんさるけえ、いやだ」

「いや、死にゃせんけえ。つくつくっと下からこう引いたときに、ぱっと引き上げてくれたらすぐ上がるから」

カタツムリの言うようにしたら、カタツムリはりっぱな男になって打ち出の小槌を下げて上がってきて、家へ帰ってから、その小槌を振って、

「米出えや」と言えば米が出るし、

「銭出え」と言えば銭が出る。とうとうたいへんな金持ちになったそうです。

それに引き替え、二人の大きな姉の方は、親の言うことを聞かずに、追い出しにあったため、助けてもらわなければならないというので、お父さんのところへ行ってても許してもらえませんし、妹の嫁に行った先へ行っても、お父さんの言い渡しで〝たとえあれらが来ても、親にそむくような者は、絶対に寄せつけてはならぬ〟と言われているので、とうとう二人の姉はずっと乞食をして歩いたそうです。

ですから、親の言うことはよく聞かねばなりませんということです。

〈語り手　小野寺賀智さん・明治23年生＝昭和41年4月26日収録〉

解説

関敬吾『日本昔話大成』では、本格昔話「誕生」の中にある「田螺息子」に該当するので、次にそれを紹介しておく。

一三四　田螺息子

1、子のない夫婦が神（氏神・観音・薬師）に祈願して、(a)田螺（蛙・蛇）を拾って子供にする。(b)妻（夫）の脛・親指から小さな子が生まれる。2、求婚。(a)少量または田螺は粉（米・粢）を持って嫁探しに行く。(b)長老の下男になる。または(c)小作米を持って行く。3、結婚。(a)粉を食った者は嫁にすると約束して、三人（二人）娘の末子の唇にぬる。(b)小作米を持って行って、長者の娘と婚約する。4、田螺は娘と結婚し(a)打ち出の小槌を拾う。(b)鬼が島から小槌をとってくる。または(c)動物を助け小槌を得る。5、人間になる。(a)娘がきらって田螺をたたいたために、(b)小槌でたたかれ、(c)風呂に入っているのを嫁がかきまわし、または(d)娘が神に祈願したため。6、結末。打ち出の小槌で家をつくって幸福な生活をする。

小野寺さんの話は、まさにこの標準型に見事に当てはまっていると言えるようである。

●電子書籍は、時期尚早なのか？

電車やバスに乗っても、ひところ前であれば、老若男女を問わず、新聞紙を広げたり、文庫本などの書籍を読んだりしている姿が目についたものだったが、最近はすっかりそれらは見られなくなった。

それに代わるべきものとしてスマホ（スマートフォン）を操作している人々がほとんどになってしまっている。

このようなことから筆者は、紙の本で出版するのも良いが、電子書籍で出版するのは時代の要請であろうと、勝手に合点し、東京の某出版社からかかってきた電子書籍出版の誘いに乗ってＯＫし、出版したのである。

最初は平成三十年七月に一六八、四八〇円を負担して『島根・鳥取の民話とわらべ歌』を作った。これは紙の本で筆者が島根県立大学短期大学部で講義しているテキストとして使っており、学生たちから好評を得ているもので、筆者としては大いに自信のあったものである。出版社からのふれこみでは、インターネットやキンドル（Ｋｉｎｄｌｅ）で国内はもとより外国にも流すということだったから、海外移住者からも歓迎されると期待したのである。続いて十二月には、かつて『朝日新聞』に連載した「山陰のわらべ歌」のタイトルを『島根・鳥取のわらべ歌』に変えて一二七、三〇五円使って電子書籍にした。この方は収録当時の音源が聴ける仕組みになっている。最後はプロの朗読による『ふるさとの民話・隠岐編』に令和元年九月二五一、〇〇八円を投資した。

さて、印税がどうなったかである。最後の朗読編は目下制作中なので除外するとして、最初の電子書籍は令和元年九月に七、二三六円。十一月、六四八円。二年五月六円。次に出した『島根・鳥取のわらべ歌』の場合は、二年五月、七六八円であった。つまり、この二書については、二九五、七八五円の投資に対し回収できたのは八、六五八円というわけで、これでは出版するだけ赤字が増えるということになっている。

電子書籍を考える読者のために実情を明らかにしておくのも、著作者の一人として意味のないことではあるまいと思い正直に白状しておく。

菖蒲が廻の婆

菖蒲が廻の婆

浜田市三隅町東平原

那賀郡のあれは国府村（現在の浜田市国府町）といって、そこに菖蒲が廻というそれは有名な金持ちの家があったんだ。

ところが、その家のばあさんが、どうも変なばあさんだといううわさが前々から立っていた。

ところで越中富山の薬屋が、そこへ立ち寄って、

「今夜一晩、宿を貸してくれんか」と言ったところが、

「これにゃ病人があるけん、宿は貸されん」と言うそうな。そうすると薬屋さんは、

「そりゃ病人がおるちゅうことならしょうがない」と言って出ていったげな。しかし、日が暮れてどうしようもないものだから、

―どうもこれ、元に寝たんじゃあ危険だけぇ―と思いながら、あちこち眺めたそうな。

よく見れば大きな木がある。

―一つあれへ上がって寝てやろう―こう思った薬屋さんは薬を入れた荷物を木の下におろしておいて、それに上がって寝たげな。

ところが、夜、猫が「ニャオー」と鳴いて出てくるげな。それは何十という猫がぞろぞろぞろぞろーっとやって来て、そいから下から仰向いて見る。これが今度、下でビンビンカンゴというよく子どもたちがやる肩車を猫たちがやりはじめたげな。あの通りに猫がみんなやったところが、とうとう猫が一匹足らずに上へ届かない。するとどこからか、

「菖蒲が廻のおばあさんを行って呼んでこう」と言う声が聞こえたげな。

それから薬屋が、

―おかしい。菖蒲が廻のおばあさんを行って呼んでこようちゅうて言うた。こりゃ変でよ―

と思っておった。

まあ、そうしていたら、今度、大きな猫がごっそごっそ来たげな。そしてまた初めの通り、猫たちはビンビンカンゴして、その菖蒲が廻のおばあさんといわれた猫が、今度は一番上に上がってやってくる。

―こりゃどうもならん―と薬屋さんは思ったが、昔のことだから、身を守るための山刀の短いのを、薬屋たちは皆持って回っていたのだけれど、それを持って何とかしてやろうと思って

おったら、すーっと猫が薬屋さんの足に手を掛けたんだげな。

そいつを薬屋さんは山刀でもって、えいっとばかり切ったげな、そうすると猫が苦しがって、たたたーっと上から降りて、皆逃げてしまったげな。

やがて夜が明けたげな。

―何でもこりゃ変だ。菖蒲が廻ちゅう家を訪ねてやろう……―それから薬屋さんは人に問って菖蒲が廻まで出かけて、聞いてみると、

「だいたい前から、このおばあさんは病気だった。ところが、夕べからまたにわかにまた病気がひどうなって、絶対のぞくこたぁできん」と言う。それから薬屋さんは、

「とにかくそのおばあさんをちょっとわしに診せてくれんか」と頼んだところが、

「そりゃ、できん」と言う。

「わしゃまあ、薬屋でもあるが、だいたい元は医者だ」と言うのだげな。

「わしは医者で、少々脈を診ても病気が分かる。ぜひ診せてくれんか」と言う。

それからまあ、他の親類衆やなんかが、

「あがぁにまで言うんなら、こんなぁ診せるがええじゃあなあかい」ととりなしてくれたげな。

そこで、

「ほんなら、診しょうか」ということになったげな。

そうすると、今度はおばあさんがなかなか、診ていらんと言いますげな。

それからまあ、しょうがないので、脈の出るところへ糸を持っていって結びつけて、それを障子の穴から出して薬屋さんが外からその糸を握って、脈を診たというんだ。ところが、

「どうも不思議なが。こりゃ人間の脈でない。こりゃ猫脈ちゅう脈だ」。

医者がそう言うたげなら、

「猫脈。そりゃあおまえけしからんことを言う」と人々が言い出したげな。しかし薬屋さんは、

「いや、ここのおばあさんは人間じゃあない。こりゃあ猫に間違いない」と言う。

そう薬屋が言うたげなら、そのおばあさんがにわかに怒りだして、それからごそごそ出てきた。見ればほんとうに猫だげななあ。

それから薬屋は、今度は飛び込んで、むちゃくちゃに刀を振り回してそのばあさんをとうとう殺したという話なんだ。

そうして殺してみればば、やっぱり猫でなあ。それはその家で飼っていた古い猫で、そいつが前におばあさんを取って食うてばあさんに化けていたんだげな。

その家はとうとうそれが元になって絶えてしもうたという。

そういう菖蒲が廻という家があったんだ。それはここから近(ちか)くの話だからなあ。

〈語り手　松岡宗太さん・明治30年生＝昭和35年3月13日収録〉

私がこのような民話を集め始めたばかりの昭和三十五年三月十三日に、たまたまおじゃました松岡さんのお宅でうかがった話の一つがこれであった。松岡さんの語りの見事だったことは、今でも忘れることが出来ない。私はそのうちまたおじゃまするつもりだったのであるが、中学校教師の多忙さゆえ、ついそれにかまけて、約束を果たさないうちに松岡さんは亡くなられてしまった。残念な思い出である。

さて、そろそろ話を本筋に返そう。内容は化け猫譚であるが、これはなかなか手の込んだストーリーを持っている。「菖蒲が迫のおばあさん」に不審を抱いた薬屋さんが、おばあさんのいる分限者の家を訪ねたところ、彼女は病気であり、薬屋がいかに昔は医者だったから診てやると言っても、おばあさんに拒否されてしまう。薬屋さんはせめて脈だけでもと迫るが、やはりだめである。しかし、彼もなかなか後へは引かない。結局、腕に糸を巻いてそれを障子の穴から出して診ることで妥協が成立する。そして圧巻ともいうべきそれから後のやりとりが緊迫した中で交わされる。

このようにして正体を現した猫は、最後は薬屋さんに退治されてしまう。

ここらで関敬吾博士の『日本昔話大成』からこの話の戸籍をまず眺めておこう。これは本格昔話の中の「愚かな動物」の項で、次のようになっている。

二五二　鍛冶屋の婆

1、旅人（狩人・飛脚・大工・山伏）が木の上または山小屋に寝ている。2、大勢の狼（猫・

狸）が肩車して木にのぼり襲いかかってくるのを旅人は切る。3、狼は鍛冶屋の婆または「かしら」を連れてこいというと、大きな狼が来る。これも傷つけ、または前脚を切る。4、家に帰ると婆（母）が傷を負い、または腕を切られている。（狼に傷つけたところと同じところ）。5、(a)婆を殺すと狼になる。(b)切りとった腕を見せるととって逃げる。6、床下に実の婆（母）の骨がある。

これでも分かるように梗概では、糸を腕に巻いて脈を取るというモチーフは出ていない。また、関敬吾『日本昔話大成』第七巻には、この話について都道府県別に詳しくあらすじが紹介されているが、これに当たってみても同様である。したがって、このようによりおもしろく描かれているのは石見独特のものと断定しても差し支えないようである。しかし、考えてみると糸を腕に結びつけて脈を診るという発想は、なるほどそういう工夫もありそうだと思わせるようで、なかなかよくできたモチーフといってよいのではなかろうか。石見の人々の巧まざる文学意識がこのような表現を生み出していったものであろう。

山陰両県で類話を調べると、この話はとても人気があるのか多くの地域に分布している。ここでは松江市の例を抄出する形であげてみる。

松江藩の家中屋敷、小池家の下男飛蔵が使いに行き、帰りに木に登っていると狼が来る。しかし、届かないので「小池の婆を呼んで来い」という。すると犬のような大猫が駆け上がり、食いつこうとするので短刀を投げると猫の額にあたり、猫は逃げる。翌朝、帰宅するとご隠居が昨晩厠で額にけがをしたと騒いでいる。飛蔵が主人に昨日のことを話す。怪しんだ主人が母の様子を見ると、しゃがんで食事をとっている。顔を上げると猫であった。主人は猫を殺し、床下を見ると母の骨があったという。（島根県教育会『島根県口碑伝説集』昭和2年発行）

さて、近隣諸国でも類話はあり、中国や韓国、インドなどでもこれまでに同類が収録されている。韓国では猫のところが虎になっていたり、日本にはない特色が示されたりしている。ともかくこの話は、わが国だけでなく、他の国々でも歓迎されている話種であることが知られるのである。

●わらべ歌「彼岸坊主はどこの子」のこと

彼岸坊主はどこの子　杉菜のかかぁのオト息子

昭和三十五年八月一日の午後のことであった。場所は邑智郡桜江町（現在は江津市になっている）川越。筆者は二十五歳の三隅中学校の青年教師だった。麦わら帽子をかぶって畑の草むしりをしておられた原田トメさん（九十二歳）にお願いしてうたっていただいた「ツクシ摘み」のときのわらべ歌がこれであった。意味は「彼岸どきに出るツクシは誰の子か。それは母親が杉菜の末の男の子ですよ」といったところだろうか。

筆者は当時連載していた『朝日新聞』の「石見のわらべうた⑳」に十一月二十九日の紙面で紹介し、掲載紙をお送りしておいた。すると十二月三日の消印で、原田さん宅の主婦である春子さんから次の礼状が届けられた。個人情報云々の時代ではあるが歴史的な資料として仮名遣いもそのままで紹介しておきたい。

師走に入り朝夕一段と寒さをそへる頃と相成りました。そちら様にはお変りなく御送りでいらっしゃいますやらお伺ひいたします。此の夏は川越に来られ私方にお出下さいまして誠にありがたう御ざいました。いつもおばあさんがそちら様の事を申しており、あれから二度も新聞紙上に報道され大変におばあさんはよろこんで、こたつにあたら乍ら、その新聞をそばから離しません。ほんとに高齢の事とて、何のなぐさみもない今日此の頃、私方も大変によろこんで居ります。毎日元気で良いお天気には畠けに出かけて毎日〳〵誰と話す事もなくがんばって居ります。そちら様に礼状を出して下されと申して居りました。おばさんを始め、私方も礼状をと思ひながら、今日まで失礼をいたしました。おばあさんが申して居ります。元気で居るから、また、おひまの節はおより下さいとの事です。では失礼といたします。お元気で御送り下さいます様にお祈りいたします。かしこ。

音声を
お聴きください

千年比丘尼

千年比丘尼

浜田市下府町

【二次元コードなし】

昔の話ですけれどもおじいさんやおばあさんに聞きますと、千年比丘尼というものは、海に千年、川で千年育ったそうです。そうしてその人が大きくなったので、陣取って自分で穴を掘ってそこへ入っていたといいます。

その千年比丘尼とその家族は「池田」といい、場所は下府地区の一番頭の方になり、「上の浜」というところです。そこには家がありましたが、今はもうよそに行かれてしまい、屋敷といっても残っていません。ただウド畑があるばかりです。

聞いたところによりますと、その人の父親は漁師でした。そして母親は百姓をしていました。それが醜い女の子を抱えていました。その女の子がひとりで人の中へ出るとみんなからからかわれるので、

「おまえは家の中へおれ」と言って、あまり外へ出さないようにしていました。そのようになっ

たわけは次のようなことがあったからです。

ある日のこと。そこのお父さんが漁に出たまま二日経っても三日経っても帰って来ませんでした。

—なしてだろうか—と家の者が心配していました。

「お父さんはどがした。お父さんはどがした」とその子も言いますので、

「お父さんは旅行に出なっただ。すぐ帰んさるけえ」と言っていましたら、しばらく経って、それこそもう目の色を変えて父親が帰って来たのだそうです。

それで、昔は猿股というものをはいてました。その猿股に紐を通していました。父親は家へ飛び込んですぐに戸をぴしゃっと立ててしまいました。女の子は父親に、

「お父さん、土産はなにか」と催促しましたが、

「土産なんかない。じつはこうこうだ」と父親は家の者に向かって話しはじめました。

「三日ほどきれいなところへ連れて行かれてご馳走になった。そうして、歌や踊りや一生懸命にうたったり踊ったりするのを見てきたけど、ふらっとお通じに行ったら、縁の所で人間をおろして刺身にしよった。これは食われん、と思ったが（……これが人魚であったのだけれど……）、その肉を食わしてもらうのだと思ったところを、そこの人に見つかってしまったので、

いやになって逃げてきたら、『あんた、見たかな』言うて、その五寸角ぐらいに切った肉をほおったんだ。そうしたら後ろ側のこの猿股の紐の間ぃ入ってしまい、入っとったそのまんまかけってきたんだ。そいで陸へ上がって家へ飛び込んで戸を閉めたところだ」。

父親はそのように言ってその猿股を脱いだら、上からストッとその人魚の肉が落ちました。

そうすると、その娘が、

「これが土産か」と言って、その肉にかぶりついてペロペロッと食ってしまいました。

そうすると、見る見るうちにとてもたくましい女の子になってしまいました。

それで、家の人たちは、

「こんな娘を人前へ出したら、もういよいよ世間がどうもならんから」と考えたので、夜、今の穴へ向けて連れて行きました。そうして、外へは出られないようにしてしまって、毎日ご飯を炊いて持って行ったり、こつこつ煮物を作って持って行ったり、漬物を持って行ったりして育てていったということです。それが後にいう「千年比丘尼」だったということでもあります。

そして娘が食べた肉は人魚の肉であったということを、だれということなく言うようになりました。それも生で食べたところ、見る見るうちに男に勝るようなたくましい女になってしまったもので、これでは、人も嫁にはもらおうと思わないし、また、世間からみてもまたあまり歓迎されないということで、その穴へ連れてって中で生活をさせていたということを、私たちのおじいさんやおばあさんから聞きましたがねえ。

いまごろ想像すれば、千年も二千年も生きた者はおらんのだから、「千年比丘尼」といえば長いこと生きていたという意味で言うんだと思いますが、そういう伝説がありましたねえ。

〈語り手　曽根辻清一さん・大正6年生＝平成4年7月2日収録〉

解説

この話は平成五年七月二十二日に浜田市下府町の海岸で収録させていただいた。語り手の曽根辻さんは浜田市の調理師会の重鎮であるが、この日、ボランテイアで海水浴の監視をしておられた。強風の日でヒューヒューという風の音と共に曽根辻さんの声が、私の録音テープの中には残されている。

ところで、『那賀郡史』（大正5年・那賀郡共進会展覧会）や『浜田市誌・下巻』（昭和48年・浜田市誌編纂委員会）では、同様の話が大要次のようになっている。

唐鐘のアイチという豪家に一人の男がいた。積善の報いがあり、ある日、海岸を歩いていると亀が現れ、彼を竜宮に連れていった。毎日ご馳走になっていたが、退屈なので城内を歩いてみた。料理場を通ると、ちょうど人がまな板に載せてあった。竜宮は人を食べる恐ろしいところだと驚き、逃げ帰った。これを知った竜宮の人々は、まな板にあったのは人魚であり、人間ではないと言って呼び止めようと姉が浜まで追ってきた。男はどうしても戻らないと言う。そこで土産だと言って、人魚の肉を投げたところ、男の袴の腰板にはさまった。急いで家に帰った男は、家族に竜宮のことを話した。袴を脱いだとき、肉が落ち、それを娘が食べてしまった。それからこの娘は千年の長寿を保ち、千年比丘尼といわれたという。千年比丘尼は強力無双であり、巨大な磐石も楽々と運んだそうである。元国分村役場の隣に、千年比丘尼が持ってきたと伝える巨大な石がある。なお、下府の片山南方の山腹に千年比丘尼の住んでいた石室（片山古墳）がある。この山麓に千年比丘尼が投げたとされる大きな岩が、半場という家の畑の中にある。一説に千年比丘尼は若狭の国で死んだとも伝えられる。語られた話と文献の違いか、文献資料の方は書き言葉独特の詳細な叙述になってはいる。それはそれとして、人魚の肉を食べたため、長寿を得たという比丘尼の話はあちこちにあるようだ。ただ、「千年比丘尼」ではなく「八百比丘尼」となっているのが普通のようである。遠く離れた北陸の福井県小浜市のあらすじをまず眺めておこう。

空印寺境内山麓に洞窟がある。昔、小浜の近くの浜に道満という漁夫がいた。彼の娘は海岸に流れ寄った魚を焼いて食べた。それは人魚の肉で、娘は以後年を取らなかった。家族や知人がみな死んでも若いままであった。やがて娘は近所の人を呼び、「生きているのに飽きたので、尼になり洞窟に入って読経を続け、この世へは再び出て来ない。洞窟の入り口に植えた一本の椿が花を咲かせたら生きていると思ってほしい」と言って洞窟に入ってしまった。それきりこの町では八百比丘尼の姿を見るものはなく、洞窟の奥で鉦をたたく音が聞こえたという。八百比丘尼は源平盛衰の状況をよく知っており、源義経も見知っていたと伝える。(河合千秋『福井県の伝説』昭和11年・福井県鯖江女子師範学校郷土研究部)

さて、山陰両県で眺めて見ると類話はいくつか認められる。島根県ではこの浜田市のほかに那賀郡金城町では天頂畷(てんちょうなわて)に千年比丘尼が来て槙を植えたが、大木に成長した後、文化年間に枯死したという(和歌森太郎『西石見の民俗』昭和37年・吉川弘文堂)。また益田市高津の越峠には八百比丘尼の墓がある。これは吉田村の住人某女が人魚の肉を食べて八百歳の命を保ち、全国を遊行して休息したところというので碑を建てたと伝えていたり（安田友久『高津町誌』昭和13年・高津尋常高等小学校）、隠岐郡西郷町の総社玉若酢命神社の随神門を入った右側に、八百杉または総社杉といって大きな杉があるが、昔、若狭の国から人魚の肉を食べたという比丘尼が、神社に参詣した記念に植えたものであり、尼は「八百年経ったら再び訪れよう」といったところから、この尼を八百比丘尼といい、この杉を八百杉と呼んでいるのだといわれている。また、この杉の根本の洞穴に小蛇が住みつき、いつもとぐろを巻いていたので、体が大きくなって出られなくなった。今も風の少ない暖かい日には大蛇の大いびきが聞こえるが、近づくとやむと伝えられている（野津龍『隠岐島の伝説』昭和52年・鳥取大学教育学部国文学第二研究室）。

鳥取県になると、代表的なのが米子市彦名にある粟島山にまつわる伝説である。私の聞き書きから、その要旨を紹介しよう。

昔、粟島の里、つまり今の粟島神社のあたりに漁師がたくさんおって、そうして漁師が講ていいますか、集会をしたんだそうですわ。そうしたらそのうちの一人がトイレに行きかけて、そこの料理場をのぞいたら、何か得体も知れず、魚とも動物とも分からんものを料理していたって。そいから、帰って、「ここのおやじはたいへんなものを料理しちょるぞ。あんな料理が出たって、みんなが食べえじゃないぞ」といって話しておった。

あんのじょう、その料理が出て、それで食べるものは食べて、食べ残しは家内の土産にといって包んで持ち帰ったと。それから、他のもんは、「あれはどうも人魚だった。あんなもん食べちゃあろくなもんはない」と家へ持って帰らずに途中で捨ててしまったら、一人のその酔っぱらった漁師さんが、捨てることを忘れて自分とこへ持って帰ったと。そうして、戸棚なんかへ入れておいたら、そこの娘さんがそのご馳走を取って食べてしまったと。

そうしたらそれが人魚の肉で、食べた娘さんは八百年までずっと長生きしたそうな。それで晩年は、あの粟嶋神社の洞穴に入って八百年も生き長らえたそうな。そいでいわゆる八百比丘さんが、終生住んだというのはあの洞穴だと聞いております。（彦名・河場敏雄さん）

長寿を願う心情は、昔の人々にとっても切実で、それがこのような話を作り出していったのではなかろうか。

●収録のための交通事情あれこれ

筆者が口承文芸の収録活動に入ったのは、昭和三十五年一月からのことだった。ちょうど携帯型のテープレコーダーが発売され始めた頃と一致する。勤務していたのは初任校の那賀郡三隅町立三隅中学校（現在は浜田市）である。国語と社会科を担当する立場だったが、単に教科書だけで授業するのではなく、地元の教材を活用して生徒に興味を持って授業に臨んでもらおうと考えていたのが発端で、地元に伝わる民話やわらべ歌などを材料にしたら、授業も多角的になり生徒も喜ぶに違いないと考えたからである。

この時代は国道九号線といっても舗装されているところは少なく、土のでこぼこ道が多かった。収録に携帯テープレコーダーを運ぶのには、自転車の後ろの荷台に魚屋が持つような篭を置き、クッションに座布団を敷いて、その上に機器を乗せたものである。

やがてバイクが出るようになったので、筆者はホンダのスパーカブ五〇ccを買い、それで校区内を中心に古老を訪ねて走り回ったものである。夏休みには友人のいる邑智郡川本町に下宿して、邑智郡内を回った思い出も懐かしい。やがて昭和三十七年には勤務先も鹿足郡の柿木中学校と変わり、軽自動車を購入して収録をつづけたが、おそらく島根県内の教員で自家用車を持ったのは筆者が最初であったのではなかろうかと密かに思っている。それほど自家用自動車を持った教員は皆無だったのである。

マイカーを持つことによってまもなく、島根県教育委員会主催の島根県下三十地区民俗調査が始まり、鹿足郡の地区委員として働かなければならなかった筆者であるが。このおかげで津和野町から六日市町（現在の吉賀町）の調査に出かけるにも、まことに便利になった。なにしろ、定期バスのダイヤは不便で、これに頼っていたのでは仕事にならなかったからである。

このようなことを書くと、現在の人々には想像も出来ないと思われるが、その当時はこれが普通だったのである。交通の発展を考えると、まさに今昔の感に堪えないのである。

横着者の話

横着者の話

隠岐郡隠岐の島町郡

昔、ある若者があったそうな。横着で何もせずにうまいもんを食って、いい着物を着て、遊んで行かれるようなことはないだろうかと思って、毎日毎日何にもせずに寝ころんで考えていた末に〝これならいい〟と思いついたったそうな。

その村の山奥に山の神様があったそうな。

そこへ行って神様にお祈りすればきっとかなえてくださるだろうと思って、そこへ行って、「三週間参りますけん」と、毎晩丑の刻かねえ、みんな寝静まったころかねえ、その時分に起きて参るって神様に約束したそうな。そうしたら行く道に川があってきれいな水が流れていて、そこの川で体に水をかけて清めて行ったそうな。そこはとても寂しいところだそうなが、そこへ行って必死にその男が、

「どうぞお願いします。三週間の間、ここへ参ります。わたしはいい着物を着てうまいものを

食べて、毎日遊んで行くようにしてください。その代わり丑の刻の真夜中に必ず参りますけん」と、一生懸命、頭を地べたにつけて頼んだそうな。

それからというものは、それはそれは一生懸命、行く道に、きれいな水が流れているから、毎晩、水をかぶって、それから、山の神様に頼んだというそうな。三七、二十一日の間だねえ、いよいよ最後の日になったそうな。

もう今晩一晩の我慢だけん、と思いながら、体を清めて行こうとしたそうな。

寂しい山道の細い道を行ったらねえ、その道に岩のようなものが寄りすがって、どうしてもこの道を通られないそうな。

〝ああ、困ったことだ、今晩一晩で終わっに〟と思って、どうしてもその山の神様へ行かなければ願がすまないのだから、どこかにすき間があればいいがと思うけれど、何だか分からないけど岩みたいなものが寄りかかっているそうな。無理矢理に、本当に死にもの狂いで通ってねえ、必死になって拝んで、とうとう山の神様まで行ったそうな。そして、

「お願いがございます。どうかわたしの願いをかなえてください。今晩、道に何か知らんだいど寄りかかって来られのだいど、ま、今晩一晩だからと死にもの狂いで来たとこですけん、どうぞ願いをかなえてください」と必死に頼んだそうな。

そうしたら、山の神様が出て来てねえ、

「おまえは三週間の間、この寂しい山道をよう来た。そいで今晩はおまえがどうすっやらと思って、われが道に寄ってみた。それにもかかわらずおまえは必死になってわれのところへ頼みに来たちゅうことは感心だ。よし、おまえの言うことをかなえてやらぁ。その代わりな、明日の朝、とう（早く）起きて、船が来ても一番初めの船には乗んな、二番目の船にも乗んな。三番目の船に乗れ」と神様が言ったそうな。そうしたら若者が喜んで、

「ありがとうございます。はあ、よろしゅうございます。どうぞお願いします」と言ったら、神様はすうっと消えてしまったそうな。それから若者は、

「ああ、うれし、うれし」と言って喜んで帰ったそうな。

夜が明けてもまだ早い。他の人が寝ているときに川で待っていたら、船がギーコラギーコラ来たそうな。初めの船が、

「ほーら、旦那さん、どうぞ乗れ、乗れ」と言うけれども、若者は神様が「一番の船には乗んな」と言ったなぁ、と思ってまだ待っていたら、二番目の船が来た。

またその船の船頭さんが若者に向かって、

「どうぞ、旦那さん、どうぞどうぞ」と言うのだそうな。しかし、二番目の船も乗ってはだめ

だ。神様は三番目の船と言ったなぁと思って、そうして待っていたら、やがて三番目の船が来たそうな。その船の船頭さんが、

「どうぞ、旦那さん、どうぞどうぞ」と言う。若者は「はぁ、三番目の船だ。夢じゃないかいな」と思ったけれども、これは夢じゃないな、本当だ思ってはぁ、山の神様が言ったことは本当だと思って、〝これだ、これだ〟と思って乗ったそうな。そうしたら、大きな男がその船の中で働いていて、それで、

「どうぞどうぞ、どうぞこちらへ」と言って、とてもてなしがいいそうな。それでお茶を出してくれるので、それを飲んだり、ご馳走を出したりするので、それを食べているうちにずっと連れて行ったそうな。そうしたらずうっと行ったら竜宮みたいなきれいな城のとこへ着いたそうな。

そして、

「どうぞどうぞ、通ってください」と案内するそうな。

そしたらきれいな御殿があったそうな。その玄関はピカピカしたようで、それから一間を通ってねえ、

「どうぞこちらへ、どうぞこちらへ」と言って、今度は二階の一間へ通されたそうな。そうし

たらそこにタンスがあって、洋服がよければ洋服を、着物がよけら着物を着ればよいそうで、何でもないものはないそうな。何でも着たいものを着たらいいのだそうな。そしていろいろなご馳走を毎日出してくるのでそれを食べるのだそうな。若者は、

「こりゃま、ありがたい」と思っていたそうな。

そして幾日かたつうちには、たいへんに太ってねえ、ゴロゴロするようになったそうな。それから、ある日、どこかの旦那さんのところへ退屈しのぎに遊びに行こうかと思って、西へ行ったらどこへ行くだろうか、東へ行ったらどこへ行くだろうかと、そのようなことは覚えていないけれど、きれいな遊ぶところがあったそうな。

「ほんなら連れて行きてごせ」と若者は言って、ついて行ったそうな。本当に洋服やら、帽子やら、ちゃんとしていてねえ、バリバリして行ったそうな。そうしていろいろな景色のところを見せてもらって行ったそうな。

そこには大きな屋敷があって倉が九つもあるのだそうな。

〝あの倉には何が入っちょったら〟とその男がいつも思っていたそうな。

「お願いがある」と若者が言ったら、

「何でも言ってください」と言うので、

「あの、この倉に何が入っとっか見たい」と言うと、

「そら、いろいろな宝物がどっさり入っとって、見してあげます」と言って、それから、九つの倉をずんずん行ったらねえ、いろんな宝物がぎっしり積んであったって。そうしたら八つまでは見せたけれど、九つめの倉は見せないのだそうな。「見せない」と言われれば見たくてならないで困ったそうな。

「これだけはのう見せることはできない。こらえてごせ」と言うのだそうな。

そうしてその晩、ご馳走を食って寝たそうな。寝たけれど、その一つの倉が気になってねえ、「見せない」と言うのだから、どうでも見てやろう。一目でもよい、どうでも見てやろうと思って、その晩、みなが寝た時分だからと、そーっと床を抜け出してきて倉のところへ行ってねえ、そろっと倉の戸を開けてみたらスルスルッと開くそうな。

「はは、開くな」と思ったら、下には大きな洗面器がやってあった。上にはだれやら、何だかしているので見てみると、人間を上へ吊り上げて、それに矢が刺してあったそうな。その矢から血がポタッポタッと洗面器に落ちてくるのだそうな。

それからその男はびっくりしてのねえ、

「こりゃたいへんだ。われもここにおったら殺される」と思って上から逃げようと思ったら、

上に吊りさげられた男が、

「ちょっとここまで来い。ちょっとここまで来い。おまえに言わんならんことがあっけん。ちょっと来い。教えてやっけん」と言う。

けれども、その矢が突き立ててあるところに梯子がやってあったそうな。それで恐ろしくてたまらないものだから、行くまいと思うけれども、

「教えてやることがあっけん。ここへ来い。ここへ来い。どうもすらせんけん、ここへ来い」

と言うものだから、それなら行こうかなあかと思って、梯子の下からブルブルブルブル震えながら上がって行ったそうな。

そうしたらその男はもう息絶え絶えながら、

「われはなあ、おまえと同じやあな気持ちで、神様に頼んでこいな目にあった。おまえは今のうちに急いで逃げ。逃げて言うことはな、この後ろにたった一本道があっちゅうだ。逃げ道はその一本道しかあらせんけん、そっから急いで逃げ」

それは大変だと思って、その男はその倉の後ろ見たら、本当に一本道があったものだから、そいから一生懸命でその道を行ったそうな。

そうしてずっと行ったら、寺が一軒あったそうな。

その寺へ行ってトントントントントン戸をたたいて言ったそうな。

「和尚さん、間違った気持ち持って申し訳ない。横着して生きていくということは、本当は間違ったことだから、明日からはもう一生懸命で働きますけん、どうぞわたしを助けてやってください。明日からは梅干しで麦飯で、二度とこげなことは考えません、一生懸命夜も昼も働きますけん」と言ったそうな。

追っ手の人は鬼を使っているところであり、今までご馳走してくれたのは、人々を肥えさせて、その人間の血を吸っていたところだ。

それで、その晩に鬼が集まって、

「だいぶん肥えてきたけん、今夜は矢を刺すけん」ということでねえ、あれが寝ているかなと思って出て来たら、この男がいなくなっており、逃げたものだから、それから追いかけて行きたそうな。

ところが、若者の言葉を聞いた坊さんが、

「早くこの行李へ入らっしゃい。わたしが助けてあげるから」と若者を行李に入れて天井に吊るして隠したそうな。

寺へ入ってきた鬼はその行李を疑うたけれど、坊さんが、

「何も入っておらんけん」と言って揺らして見せるので、なんとか鬼を追い払うことができたそうな。

それから天井から降ろされた男は息も絶え絶えながら、助かってほっとし、それからは心を入れ替えて、村一番の働き者になったということだそうな。

〈語り手　塩山コフエさん・明治42年生＝昭和54年8月9日収録〉

解説

語り手は塩山コフエさん（明治四十二年生）で、昭和五十四年八月に、隠岐島前高校（当時）の山岡雄一郎教諭が聞かれたものを紹介した。この話は本格昔話で逃竄譚の中にある「脂取り」として登録されている。類話は松江市北堀町の川上静子さん（明治三十三年生）が語り、現在、出雲かんべの里民話館で語りをしている孫娘の山田理恵さんに伝えられている。これは楽をして暮らしたいと思う人間の願望が生み出した話なのであろう。

●隠岐島前高校郷土部のこと

先般、『海士町の民話と伝承歌』を上梓したが、この内容は平成二十二年三月から、『広報海士』に六十一回にわたって連載したのをまとめたもので、四十年以上前に、県立隠岐島前高校郷土部が中心になって、古老を訪問して収録した話や歌を、スマホで二次元コードを開けば聴ける仕組みにしたものである。

筆者が昭和四十九年度に隠岐島前高校に赴任して郷土部を復活し、口承文芸収録を行おうとしたが、生徒会担当者が示した年間予算はたった二、〇〇〇円だった。部活動を行うのには、まずテープレコーダーも買わなければならないし、録音するカセットテープも必要。古老訪問で西ノ島町に渡るのに定期船の乗船券も買わなければならず、これだけの予算では活動など不可能である。一計を案じた筆者は職員会で、「郷土部は予算は要りません。ほしい部があれば自由に分配してください。ただ、私は費用を自分で工面しますから、それについては口出ししないでいただきたい」と発言したところ、二、〇〇〇円でもほしい部はいろいろあった模様で筆者の発言は認められた。そこで収録してきた民話などを収録した部の機関誌『隠岐島前の民話』を、謄写印刷で元版を作って五〇〇部作り、一冊五〇〇円で購買や、港の販売店で売ったり、広告を半ページ五、〇〇〇円で集め、四ページは広告で埋め、全国の民話研究者の会員名簿にダイレクトメールを送ったり、夏休みに知夫村で四泊五日で収録活動を行った折は、嘉見伊勢太郎村長さんと交渉して、完成したら『知夫村の民話』という本にまとめるからと一六万円の助成金をもらったりして、生徒を民宿に泊めて収録活動を行った。

次の年は都万村の齋藤理三村長さんと交渉し、確か二〇万円の助成金をいただいたものである。四泊五日の合宿で民話を収録し、これも『都万村の民話』として発刊した。布施村の場合も同様、山口貞美村長さんから助成金（金額はいくらだったか忘却）をいただいた。

このようにして郷土部は隠岐全域の民話分布について理解するのに、非常に大きな働きをしてくれたものである。筆者にとっても、懐かしい思い出である。

蛸屋八兵衛

蛸屋八兵衛

隠岐郡知夫村薄毛

とんと昔があったげな。

蛸屋八兵衛という人がこの薄毛地区にいたが、嫁はなし、子どもはなし、毎日毎日蛸を捕りに行くけれど貧乏暮らしをして、小屋みたいな家にたった一人で住んでいたげな。

この男は今日も蛸を捕り、明日も蛸を捕り、毎日毎日こうして蛸を捕っているものだから、そこから蛸屋八兵衛と名がついたげな。

八兵衛はこうして蛸を捕って、自分は何もせずにいたから金が貯まったそうな。けっこう金が貯まったので、八兵衛は、

「ま、こりゃ、旅行しよう。ええとこを見てこよう」と思って、ぼろを着て旅行に出たそうな。

それから八兵衛は大阪の天王寺さんに参って、金の茶釜を買って供えたげな。そうしたところが、

「あの人はぼろを着とるが金の茶釜をあげた」といって評判になったそうな。けれど、

「今夜はどげだり泊まる宿がない」と八兵衛が困っておったところ、ある長者がやって来たげな。

「頼むけえ、うちへ泊まりに来てごせ」

「そがぁなあ、わしゃなりが悪うて泊まりゃぁせん」

「なりゃ悪うても、頼むけぇわしんとこへ泊まってごせ」とその長者が前へついて、八兵衛を連れて帰ったげな。

「こりゃなあ、金の茶釜を上げちょったけえ、なりは汚うてもええ人だけえ、親方はなおこういうふうをするもんだけえ、丁寧に取り扱え」と長者は家内の者に言って、ご馳走の山を作って勧め、また、八兵衛の着物を全部脱がして風呂に入れたそうな。それから、風呂から上がると今度は絹の小袖の丹前を着せてあげたそうな。八兵衛は、

「これはもったいない。やあ、こりゃもったいない」と言う。そして、家の人が八兵衛のこれまで着ていたぼろを竿に掛けたところが、シラミがごろごろして出てきて、汚いとも汚いとも、けれども長者は、

「いや、汚いことはない。こがあな者が親方だけえ」と喜んだげな。

ところで、ここの家には娘が七人おったそうな。長者は八兵衛に、

「嫁はおるか」と聞くと、

「いや、嫁はない」と答える。そこで親方は娘たちを並ばせて、

「あんたがよいのを嫁にやるけに、選り取りみどりだ。どれがいいか」と言って、嫁合わせをしたげな。八兵衛は、

「ちょうど年頃もよし、まん中のをもらう」と言う。

「そんならこりょうやるけえ、来年の正月の十五日に祝言に迎えに来てごせ」

「迎えに来るけえ、それまで預かっておいてごせ」

そう言って八兵衛は自分の小屋のような家へ帰ったげな。

八兵衛の小屋のような家の近くに、新宅の大きな家があるそうな。八兵衛は、そこへ行って頼んだそうな。

「すまんがここを宿に貸してごせ。婚礼のときだけ宿を貸してごせ。もだれ（軒先）に蛸屋八兵衛という表札を掛けてごせ。頼むけえ、そうしてごせ」

「それならそうしてやるけえ」

そしてそこへ「蛸屋八兵衛」と表札を書いておいて、それから正月の十五日が来て、みんな

の人を頼んで嫁さんを迎えに行かせたげな。

「さあ、蛸屋八兵衛さんから迎えが来た」というので、長者の家では娘さんに衣装を着させ、荷物もたくさん持たせて長者一族もそろってやって来たげな。それから新宅へ入って行ったそうな。

「ようこそ来てくれた」と八兵衛は一行を迎えたげな。

婚礼もすんで、みなが帰って二、三日もしたら、嫁さんに向かって八兵衛は、

「本当のわがとこへ帰ろう」と言ったそうな。

「わがとこは、どこですか」

「ここだ」と、小さい小屋へ嫁さんを連れて帰ったそうな。

「こがあなとこでも、おまやあ来てくれたで」

「まあ、どがあなとこでも来た以上は、わしもがまんします」

こうして二人で生活を始めたけれど、蛸屋八兵衛の方は夜になると蛸を捕りに漁に出る。嫁さんは毎晩、毎晩一人寝するのに、夜中の十二時ごろになると、カアンゴオンと音がするのだそうな。それが寂しくて男は、

「漁をしに出る」「漁をしに出る」と言って出てしまうのだげな。

そうしていたところ、毎晩、やはり、そのカアンカアンという音が続く（つづ）ので、肝（きも）の太（ふと）い嫁さんは、

「何の性（しょう）あるものか、ないもんか」と言ったところ、

「性あるもんだ。わしは金（かね）の神（かみ）だ。ここの部屋（へや）の下（した）、軒下（のきした）を掘（ほ）ってみてごせ。金がほろんで（埋（う）めて）あるから、出してくれ」と言うんだげな。

そこで八兵衛が帰ってきてから人を頼んで、ある日、そこを掘ったところが、壷（つぼ）に金がいっぱい入っていたそうな。

それで蛸屋八兵衛は長者になったたって。

その嫁さんには、金の神さんがついて来たそうで、蛸屋八兵衛は本当の長者になったげなと。

昔、こっぽり。

〈語り手　前横ヨキさん・明治26年生＝昭和51年7月30日収録〉

解説

この話をうかがったのは、昭和五十一年七月三十日のことであった。当時、私は県立隠岐島前高校に勤めていて、そこで郷土部を作り、このおり七月二十八日から八月二日まで五泊六日の日程で知夫村調査を行ったのであった。当時の調査に参加した部員は、大上朋美、池田百合香、浜谷深希の諸君だった。郷土部を作ってはみたものの、予算はゼロ。活動資金は部報『島前の伝承』の売り上げと、それの広告収入が全てであって、とても知夫村調査の費用は出てこない。そこで「当たって砕けろ」ではないが、顧問の私が当時の村長、嘉見伊勢太郎氏にお願いし、村から資金援助を願って、そのお蔭でこの調査もできたのであった。早いものであれからもう四十五年近くもたつ。彼女たちも今では結婚してよい家庭を持っているのである。私にとって忘れられない思い出である。

さて、薄毛地区にお住まいだった語り手の前横ヨキさんは、明治二十六年生まれであった。お若いときに目が不自由になられたが、抜群の記憶力の持ち主で、このとき昔話やらわらべ歌をいろいろ教えてくださった。昔話の内容も実に細やかで豊かな語りだったのが今でも深く印象に残っている。

この昔話の戸籍について述べておこう。関敬吾博士の『日本昔話大成』では、「本格昔話」の「婚姻・難題聟」の項に次のように出ている。

一二四　蛸長者（AT三三二六）

1、貧乏な漁夫が金持ちをよそおって長者の娘を息子の嫁に約束する。2、家が小さいために(a)人の住まない家を借り、または(b)殿様に古い家を借りて嫁を迎える。3、三つの化け物が出る。親と息子は恐れて逃げる。4、嫁が恐れなかったために、それぞれ宝の化け物であるのを知り、それを掘り出して金持ちになる。

こうして眺めると、前横さんの話もこの基本形にほぼ合致している。ただ、漁夫が息子の嫁に長者の娘を望むところが、前横さんの話では蛸屋八兵衛なる漁夫自身となっている点だけ、やや違っているといえる。

ところで、私は同じ隠岐島の海士町保々見地区の川西茂彦さん（明治二十七年生）から、前年にこの話の同類を聞いている。梗概を述べておくとこうである。

昔、浜松の漁村での親孝行といえば、親を伊勢参宮させることだった。貧乏人の蛸屋治兵衛の息子はとても孝行で、母親を早くから亡くした父親に、金が貯まったので伊勢参宮をさせる。治兵衛は参宮の途中、鴻池の旦那と道連れになって伊勢参宮をすますと、今度は八幡宮、次に金比羅さんを参拝するといった調子で、しかも、鴻池の旦那が百両ずつ賽銭を上げるので、付き合いのため、同じようにしたわけだから、大阪まで帰ったときには、ほとんど文無しになってしまっていた。ところが、道中、治兵衛が息子の親孝行の話を旦那にしていたものだから、別れにさいして鴻池の旦那が、「あなたの息子に惚れ込んだから、娘を嫁にしてほしい」と頼み込んだ。成行きから承知して帰ってきた治兵衛であったが、何月何日に結婚式をするという約束を承知してしまった。しかし、帰ってからはそんなことをすっかり忘れてしまっていたが、鴻池の方はいろいろと準備して娘を連れてきた。地区の人々は貧乏な治兵衛の家のこととは思わず、取り合わなかったが、そのうち一人のおばあさんが治兵衛の家を教えたので、娘一行はやってきた。ちょうどご飯の最中だった治兵衛は驚いてお膳をひっくり返してしまうほどだった。けれども約束は約束なので、娘も嫁になった。そして、蛸を捕る方法を改良して現在行っている蛸壷漁法を始めたのであった。治兵衛一家はこうして自然に幸福になっていったという。

この他の同類としては、隠岐郡隠岐の島町中村の話として「蛸屋儀平」として伝えられ、さらに大田市温泉津町、益田市匹見町などにも類話は認められるが、なぜか隣の鳥取県では現在のところまだ仲間は見つかっていない。

ところで、類話とはいっても隠岐の島町を除いては主人公の名前は、「蛸屋云々」というのではなくて、かなり異なっている。すなわち、温泉津町では「寝太郎」、「八平」と称する二話。匹見町のは「出雲の綿屋の若衆」というのと「いりこ屋才助」というのである。

このように同じような話でも、所によっては全く違った名前で伝えられている点が、いかにも伝承説話らしくておもしろい。

●印象に残った伝承者のこと（島根県）

長い間収録活動の中で多くの語り手に出会ってきた。その中で印象に残った方々について述べておきたい。

松岡宗太さん（明治二十九年生）＝浜田市三隅町東平原。「菖蒲が迫の婆」「度胸の良い婿」など、珍しい話をよく知っておられ、語りも実に見事であった。

佐々木誓信さん（明治二十五年生）＝浜田市三隅町福浦・光円寺住職。「閻魔の失敗」を見事に語られた。

大田節蔵さん（明治二十八年生）、大田サダさん（明治三十年生）夫妻＝鹿足郡吉賀町椛谷。毎週のようにお邪魔したが、いつうかがっても歓迎してもらった。サダさんとは歌問答を長い間交わしていた。

安部イトさん（明治二十七年生）＝仁多郡奥出雲町大呂。たくさんの昔話を語っていただいた。

田和朝子さん（明治四十年生）＝同町竹崎。同。

森山庫市さん（明治二十九年生）＝同町代山。同。

千原貞四郎さん（明治二十一年生）＝同町大馬木。同。

井上掏拮さん（明治十九年生）＝同町下阿井。同。

中沼アサノさん（明治三十九年生）＝隠岐郡隠岐の島町犬来出身。珍しい「津井の池の蛇婿」の昔話や「あの山で光るものは」の手まり歌を教えてくださった。

半田弥一郎さん（明治四十五年生）＝隠岐の島町中里。隠岐島前郷土部がうかがったさい、あらかじめ昔話をカセットに録音しておいてくださった。

濱谷包房さん（昭和三年生）＝隠岐郡海士町御波。たくさんの昔話を語ってくださった。

木野谷ハナさん（明治十九年生）＝隠岐郡海士町多井。同。

小泉ハナさん（明治十九年生）＝隠岐郡知夫村出身。同。

中本マキさん（明治三十九年生）＝隠岐郡知夫村仁夫。同。

テンテンコウシ

テンテンコウシ

隠岐郡西ノ島町波止

とんとん昔がありました。

ある京都の田舎に荒れ果てたお寺がありました。そのお寺にはいくら和尚さんが座られても、みんないなくなってしまうそうです。

そのうちにある偉い和尚さんが回って来て、

「自分がひとつそのお寺に座ってみっけん」と言いますと、村の人々が、

「あんたが座られても見えなくなっけん」ととめますが、

「いいや、自分が座ってみっけん」と言って、そのお寺に行きました。それから、

「自分が元気でおったら、鐘たたくけん、あんたら明日の朝は上がってきなさい」ということで、和尚さんは入って行きました。

それから十一時、十二時になっても何にも来ません。一時ごろに外から声がしました。

「テンテンコウシ、内んですか」

「はい」と内から答える者がおりました。そこで和尚さんが、

「あんたはどなたか」と言うと、

「トウヤのバトウとは、いかーん、いかーん」と言います。和尚さんは、

「トウヤのバトウとは、東の方の野原に馬の頭の化けたやつだ。下がれ」と言いますと、それでばたばたっと切れました。

それからまた一時間ほどして、また何かがやって来ました。

「テンテンコウシ、内んですか」と言います。

「はい」と言います。和尚さんが、

「あんたはどなたか」と言うと、

「ホクチクリンイチガンサンゾクケイとは、いかーん、いかーん」と言います。和尚さんが、

「ホクチクリンとは、北の方の竹藪の中の、眼が一つで足が三つある鶏の化けたやつだ。下がれ」と言いますと、それでまた切れてしまい音がしなくなりました。

また、一時間ほどしてから、

「テンテンコウシ、内んですか」

「内におる」と内から答えます。和尚さんが、

「あんたはどなたか」と言うと、

「ナンチのタイギョとは、いかーん、いかーん」と言いました。

「ナンチのタイギョとは、南の池の中にいる大きなコイの化けたやつだ。下がれ」と言いますと、またそれで切れました。

一時間ほどしたら、またやって来て、

「テンテンコウシ、内んですか」

「内におる」と内から答えます。和尚さんが、

「あんたはどなたか」と言うと、

「テンテンコウシとは、いかーん、いかーん」と言いますので、

「テンテンコウシとは、このお寺を建てるとき使ったジョウバン（大きな木槌のこと）の古いやつが上の方に取ってあっが、そいつの化けたやつだ。下がれ」と言いますと、それで切れてしまいました。


それから夜が明けて朝になりました。村の人々は、「あの坊さんは死んだだら」と言っていますと、鐘をガンガンガンガンたたく音が聞こえます。みんながお寺へ行きますと、

「さあ、おいでおいで」と和尚さんが手で招かれます。みんなが和尚さんに言われて手分けして化け物を捜しました。東の方の野原へ行ってみると、馬の頭があり、北竹林へ行きますと一つ眼で三足ある鶏が、

「わしの親は……、コツコツコツ」と言っておりました。また、南の池へ行ってみますと、大きなコイが泳いでいましたので、そいつらを捕まえて、みんなで料理して食べたり酒を飲んだりして祝ったということです。

〈語り手　手銭ユキさん・明治30年生＝昭和51年4月17日収録〉

解説

手銭ユキさんは西ノ島町波止にお住まいで、同町でも数少ない昔話の語り手の一人だった。昭和五十一年四月十七日に隠岐島前高校郷土部がうかがった話である。このときのメンバーは大上朋美、池田百合香、山岡俊子の三名に私が加わっていた。

さて、この話は関敬吾博士の『日本昔話大成』によって、その戸籍を調べてみると、「本格昔話」の「愚かな動物」の中に次のように紹介されている。

二六〇　化物問答

1、旅人が古屋に泊まると、化け物が出てきて言葉（北山の白狐・南池の鯉魚・東谷の三足の馬・西竹林の一足の鶏など）というのをいいあてる。以後、化け物は出なくなる。

こうして手銭さんのそれを比べると、戸籍の北山の白狐は手銭さんでは、北竹林の一眼三足鶏であり、南池の鯉魚はそのままで南の池の古鯉、東谷の三足の馬は東の野原の馬の頭となる。そして寺に住む化け物である木槌との会話で、トウヤのバトウ、ホクチクリンイチガンサンゾクケイ、ナンチのタイギョと答えているところから、それらを漢字で音読みにすると正体が分かる仕組みになっていることが理解できる。

また、寺に住む化け物としてのテンテンコウシなる名称であるが、テンテンは木槌をたたくときに発するテンテンという擬声音とコウシは木槌の訛ったものと解することによって、全ては解決できたということになる。

つまり、この昔話のおもしろさは、怪物たちの名前について普段訓読みで使っている言葉を、いかにも教養めかしたように音読みに変えて名乗らせているところにあり、そこからくるところの一見、摩訶不思議な雰囲気を聞き手が楽しむ点にあるように思われる。そして、それぞれの名前の持つからくりを僧が喝破して正体を見破ったことにより、彼らがそれまで持っていた神通力を封じられて退散してしまうが、翌朝、訪ねてきた村人たちに、僧はあれこれと指示し、怪物を退治させる。そして旅の修行僧はその寺の住職に収まるという筋書きになっている。

この背景にあるのは言霊信仰である。つまり音読みの言葉から、正体を知られてしまえば、怪物の力は消え去り、見破ったものに彼らは勝つことができないという法則が見られると解釈できる。

この話はなかなか人気があるようで、山陰両県のあちこちで聞かれている。たとえば倉吉市広瀬での伝承を見ると、原題を「ていてい法師」といっており、元気のよい力持ちの若者が古い寺に出る化け物を退治に出かけて、みごと成功するが、その中で以下のような表現が見られる。――化け物なぞは正体を見破って、それに対応する「カマエ」をすればええもんだ――（『ふるさと小鴨谷』第一輯・上小鴨文化協会・昭和四十六年発行）。そこからも先の理由の正しさが鮮明に証明されるであろう。他の地方のものも大同小異で、寺へ訪ねてきた怪物の名前を言い当てることによって、怪物は退治されてしまう。

昔の文献を探してみると、平安時代後期の『今昔物語集』の二七・一〇「仁寿殿ノ台代ノ御燈油取リニ物来レル語」に出てくる怪物の話とか、『室町時代物語大成』九では「付喪神記」で、人に捨てられた古道具が妖怪に変わって人を襲う。すると天童が現れて妖怪を調伏するという話が、それらの原型ではないかと思われる。
さらに近隣諸国に仲間を求めてみると、サハリン、韓国、中国、インドネシアなどにわが国の話に近いものが見られる。ここで中国の漢民族に伝えられている話の概略を見てみよう。

薬行商が桃園の桃を食べ、樹上で居眠っていると、樹下で虎と馬と羊の首をした三人の小人が酒盛りをはじめ、続いて鹿と牛と犬と鬼の首をした四人の小人が加わる。虎首が「人の匂いがする」と騒ぎ、行商は見つかって木を揺さぶられるが、夜が明けるとすべて姿を消す。桃園の夫婦がごみの中の箱に泥で作った虎や馬を見つける。二十年前に死んだ子どものおもちゃを捨てたものだったので、召使いにすべて砕かせた。

古くなったものが妖怪化するモチーフについては、まさにわが国の話とそっくりなのである。国は違ってもものの考え方が共通する点でなかなか興味深い。そうして考えれば、発想法が同じということは、多くの他の考え方でもいえることであり、このような理解をしあうことから、案外、平和外交が展開されていくものだと、ふと思ったりするけれど、読者のみなさまはこの私の考えについて、いかがお感じだろうか。

三枚のお札

三枚のお札

八頭郡智頭町波多

昔あるときに、高いところにお寺があって和尚さんと小僧さんがいたそうな。寺の後ろは大きな山があり、そこには大きな栗の木があって、風が吹くとその実がいくらでもぽたぽたぽたぽた落ちるそうな。それで小僧さんが、

「何でもまあ、栗拾いに行きたい」と言うと、和尚さんは、「鬼婆がおるけえ、この裏の方へは行かれん」と言うが、小僧さんがどうしても行きたいと頼むので、和尚さんもしかたなく、お札を三枚渡してやって、

「危ないおりには、これを頼むじゃぞ」言って出したそうな。小僧が行ってみると、たくさん大きい栗が落ちているので、それをいくらでも拾って食べていると、とても器量のいい小さな婆さんが出てきて、

「小僧さん、小僧さん、こっちへ来てみんさい。なんぼうでも栗があるわ」と言うので、おば

あさんについて行くと、ほんとうに大きな栗がいくらでもあるので、拾って食べていたら、いつの間にか日が暮れてしまって、帰れなくなってしまった。そうしたら、おばあさんが、

「あそこに小さい家があるけえ、泊まって、明日の朝いぬるがええ」と言う。小僧もしかたなくついて行くと、おばあさんは栗を作って食べさせたり、ゆでて食べさせたり、腹いっぱいになってしまった。小僧が眠たくなってきたら、おばあさんは布団を持ってきてくれる。疲れているのでぐっすり眠ってしまったが、夜中に小僧がふと目を覚ましたら、雨垂れが、

小僧や　小僧や　婆さんの面ぁ見い
小僧や　小僧や　トンツラ　トンツラ

と言っている。小僧はそれを聞いて、ひょいっとおばあさんを見たら、おばあさんはいつの間にか鬼婆に変わっており、頭には角が二本出ているし、口は耳まで裂けているし、さらに口からは紅のような舌を出している。

―恐ろしや……やれこれ―と思って、小僧は起き上がって帰ろうとすると、鬼婆が聞いてくる。

「何すりゃあ」

「便所へ行って、小便が出したい」

「小便が出したけりゃ、そこへひれ」

「こんなとこへは、もったいのうてひれん」

「ほんなら、まあ、行け」と言って、鬼婆は小僧の腰に綱をつけて便所に入れ、外で待っている。

小僧は恐ろしくなって、和尚さんにもらったお札を一枚出して綱にくくりつけて、お札に、

「『まんだ出る。まんだ出る』言え」と頼んで、窓からとんで出て一生懸命に逃げたそうな。

内では、

「まんだ出んだか、まんだ出んだか」と鬼婆が言えば、

「まんだ出ん、まんだ出ん……」とお札が言うが、あんまり長くて不思議に思った鬼婆が、開けてみたらお札に綱が結びつけてあり、そのお札が言っている。「こりゃまあ、いけん、ほんにほんにだまされたか」と追いかけたところ、鬼婆は足が早く、もうほとんど追いついたかと思ったとき、小僧はもう一枚のお札を後ろへ投げて、

「砂山出え」と言ったら、とても大きな砂山ができたそうな。鬼婆がその山に上がると滑って落ちる。上がるとずるっと落ちる。なかなか上がれなかったが、それでもやっと上がって向こ

う側へ下り、また小僧さんに追いつきかけたところ、小僧さんは最後のお札に、

「大きな川を出してくれ」と頼んで後ろに投げたら、また大きな川ができて、鬼婆はその川がなかなか渡れなくて、あっちへ行ったり、こっちへ行ったりしているうちに、小僧がやっと寺へ帰ることができたそうな。それで、

「和尚さん、今もどった。和尚さん、今もどった」と言ったけれど、和尚さんは知らん顔をしていてなかなか戸を開けてくれない。

「今、鬼婆がここを通りかかるけえ、早う早う」言うて、戸をやっとのことで開けてもらい、小僧さんは大根壷の中に隠してもらい、和尚さんはその蓋をピシャンと閉めたとき、鬼婆がやっと川を渡り終えてごとごと入ってきたそうな。「今、ここへ小僧が入ってきたふうなが、小僧はどこへおりゃあ。」

「ふん、小僧は来りゃあせん」。和尚さんは、そう言いながら囲炉裏にいっぱい餅を焼いて食べていたそうな。「おお、何ちゅううまそうな餅じゃ、うらにもそれえ一つ呼んでごせえ。餅は大好物じゃ」

「うん、そりゃあ呼んだる、呼んだる。そげな餅どもはうちゃ何ぼうでもあるけえ。それより先、おまえもこがいな鬼婆いうぐらいのもんじゃけえ、化けることはできよう」

「うらも化けるし」

「そんなら、おまえから先化けてみい」

「ほんなら先、化ける」

「高つく、高つく、高つく、高つく………」和尚さんがそう言われていると、鬼婆は高くなって天井までつかえてしまい、もうそれ以上は高くなれなくなったので、今度は、

「低つく、低つく、低つく、低つく………」と言っていると、本当に小さくなって豆ぐらいになってしまったそうな。するとそれを見ていた和尚さんは、焼けて熱くなった餅を二つに割って、その豆ぐらいになった鬼婆を、餅の中にぴっと挟んで入れて、自分の口の中へ放り込んでがきがきがきがき噛んで、食べてしまったそうな。

それからは鬼婆は出ないようになったとや。そればっちり。

〔語り手　大原寿美子さん・明治40年生＝昭和54年9月22日収録〕

解説

関敬吾『日本昔話大成』では本格昔話「逃竄譚」の中に「三枚の護符」として、次のように戸籍がある。

二四〇　三枚の護符

1、子供（小僧）が山姥の家に泊まる。または追われる。2、山姥が腰に結びつけた縄を護符にとりかえる。三枚の護符（鏡・櫛・針・玉）を投げて(a)川（海）・(b)山（剣の山）・(c)火（藪）をつくって逃げる。3、(a)山姥は火で焼け死ぬ。または(b)寺まで逃げ帰り、和尚に救いを求める。4、和尚は山姥と化け比べして豆に化けさせて山姥を食い、小僧を救う。

大原さんのこの話もほぼこの話型に一致する。

●印象に残った伝承者のこと（鳥取県）

大原寿美子さん（明治四十年生）＝八頭郡智頭町波多。鳥取県東部の優れた語り手としてたくさんの昔話やわらべ歌をうかがった。鳥取県随一の民話の語り手であるように筆者には思えた方である。

山田てる子さん（明治三十五年生）＝岩美郡岩美町田後蒲生。たくさんのわらべ歌を教えてくださった。

浜戸こよさん（明治三十九年生）＝鳥取市福部町出身。江戸時代の野間義学『古今童謡』にあるようなわらべ歌を多数うたっていただいた。

福安初子さん（大正四年生）＝鳥取市佐治町尾際。わらべ歌をいろいろうたってくださった。

山本鶴子さん（明治二十八年生）＝東伯郡北栄町米里。わらべ歌をたくさん教えてくださった。

別所菊子さん（明治三十五年生）＝東伯郡三朝町吉尾谷。たくさんの昔話を語ってくださった。

山口忠光さん（明治四十年生）＝東伯郡三朝町大谷。男性の昔話の語り手として、実にすばらしかった。たくさん珍しい話を語ってくださった。

名越雪野さん（明治四十年生）＝倉吉市湊町。昔話を力強く語られる。「博打うちと呪宝」の語り手である。

川北貞市さん（明治四十年生）＝東伯郡三朝町曹源寺。わらべ歌をたくさん教えてくださった。突然お訪ねしたにもかかわらず、快く泊めていただいたこともあった。

片桐利喜さん（明治三十年生）＝西伯郡大山町高橋。たくさんの昔話やわらべ歌を教えてくださった、なぜか発音に出雲方言に似たものがあるのが不思議だった。お邪魔することを伝えておくと、メモ帳に昔話のタイトルを控えて待ってくださっていた。

谷尾とみ子さん（明治四十四年生）＝西伯郡大山町国信。わらべ歌をいろいろ教えてくださった。片桐利喜さんの妹さんである。

浦上金一さん（昭和三年生）＝米子市観音寺。語りが見事で昔話を多く知っておられる。伝承の語り手として得がたい方である。

おりゅうと柳

おりゅうと柳

八頭郡智頭町波多

昔あるとき、高山いうところに、おりゅうといってまことに器量のよい娘があったのだそうな。

そうしたらまあ、高山を越えたところに大きなよい家があって、その家に女中に行っとったのだそうな。

その高山の尾根に大きな柳があって、その柳の性が、おりゅうがあんまり器量がよいものだから惚れてしまって、人間に化けて、毎晩、髪をきれいに結って、おりゅうに会いに行くのだそうな。

そうするとおりゅうもまた高山の尾根の柳に会いに行くしして、そうしてあっちこっち心を交わしあっていたところ、年がたって、おりゅうがその高山の峠を越えて家に帰っていても、お互い毎晩会いに行くしししていたそうな。そして、それでも事情があって行けないときには、大きな風が吹いて、その柳の胴幹の声やら音やらが聞こえたり、何とか木の葉が飛んできたりしたり、とにかく、まあ、毎晩のようにそうして心を通わしていた。

ところが、ある日の晩、たいへんにいい男の侍が非常に青ざめておりゅうのところへ来たそうな。

「まあ、おめいは何ごとじゃ。今日はひどうずっと青ざめて、もう生きた顔じゃあないなあ」

「うん、まあ、そりゃあまあ、これまで親しゅうに毎晩会うてきたけど、今夜がしまいのような」

「そりゃどんなこってすじゃ」

「いんにゃ、これでもう会えんも知らん。もうこれが終わりじゃがよう」。

——どんなこっちゃろうな——とおりゅうも思っていたところが、そのころ、京の三十三間堂の普請が始まっていたけれど、

〝その三十三間堂の棟木は、杉でも桧でもない。高山のあの柳でなけにゃあ、することができん〟ということになったそうな。三十三間堂の棟木は差し渡しが八丈で、丸さが八丈まわっているが、それはあの高山の柳でないと間に合わないということになったのだそうな。

やがてのこと。その柳を伐るのは、一人や二人の杣さんではどうにもいけないので、あっちからもこっちからも杣さんの上手だといわれる人は、みんな呼んで来て、そしてその杣さんが、

鋸で一日中柳を挽き伐ったけれども、とてもその柳が伐り倒せないので、

「また明日の仕事じゃ」と言ってはもどり、また、

〝今日もすんだ〟と思って行ってみるところが、その柳の幹はぴんと元どおりになっているのだそうな。

「これじゃあ困ったもんじゃ。一日かかってこれだけ伐って、ちゃんとして、まあ明日で残ったのを伐れると思うとるに、またまた元どおりになっとる。伐れるメドがない」と言っていたら、その杣さんの嫁さんが、

―まあ、どんなこっちゃろうなあ。何とか伐らせてもらいたい―と神さんに一生懸命に拝んでいたら、思いがかなったのだろうか、そのうちに神さんが枕神に立たれて、

「杣さんが伐られる鋸糞も、コケラもなんにも、その場で大きな火ぃ焚いて、それをみんな灰にするじゃ。そうしたら、伐ることが出来る」と言われたそうな。それから、

「神さんがなあ、枕神に立たれたがよう」と言って、

「それじゃあ」ということで、そこで大きな火を杣さんの嫁さんが焚く。この杣さんの嫁さんもあの嫁さんも、みんな大きな火を焚いて、鋸屑もコケラも何にも焼いてしまって、そしてみんなが帰って、あくる日そこへ行ってみたら、昨日、柳を伐っただけは伐れてしまっていた。

それで、

「ああ、なるほど、これで伐れるぞ」と、みんなは喜んだそうな。

それから、いよいよ神さんのお告げだと思って、また明くる日も明くる日もそうして、やっとのことで柳を伐ってしまった。

そしてそれから柳を車に載せて、おおぜいの人でその柳を京都へ運ぼうとしたのだそうな。そうしたところ、どうにもその柳が動かない。樹齢何百年もしている柳なので、いかに引っ張っても簡単には動かないのだそうな。そのうち、ある人が、

「こりゃあ、柳の性がおりゅうに好いとって、おりゅうとあっちいいこっちい逢い引きをしよったじゃけえ、そのおりゅうを頼むこっちゃ」と言って、そのおりゅうという娘に頼んだら、おりゅうは、

「わしの役に立つことなら行きます」と言って、京の三十三間堂の棟木を出すおりに、おりゅうが車の先頭になって綱を引いたら、柳を載せたその車はそろそろそろそろ京の三十三間堂まで無事に着いたそうな。

だから、今あるあの三十三間堂の棟木は高山の柳だそうな。そしていつに変わらずに、今でもその通りあるそうな。

そればっちり。

〈語り手　大原寿美子さん・明治40年生＝昭和62年8月23日収録〉

解説

この話は昭和六十二年八月二十三日に語り手の大原さんのお宅でうかがったものである。人間と植物の精霊との恋愛が主題となっているが、なかなか収録することの難しい話種である。関敬吾博士の『日本昔話大成』による分類では、二種類の話にその戸籍が認められる。一つは本格昔話の「婚姻譚」として次のようになっている。

一〇九　木魂聟入（AT四四二）

1、母と娘、娘が毎日木に供物をする。2、(a)殿様がその木を伐って船をつくるが、進水できない。または(b)大木を伐るが動かすことができない。3、(a)殿様が船を進水させた者、または(b)木を動かした者には褒美をやるという。4、その娘が進水させて褒美をもらい、母子が幸福な生活をする。

いま一つは本格昔話の中の「新話型」として次のものが相当する。

本格新四〇　大木の秘密

A　1、不作で庄屋が木を伐ることにする。2、小木ができたので伐採を延期してほしいと木が頼む。3、庄屋は約束する。4、翌年は豊作になる。伐採せずにすむ。

B　1、(a)堂をつくるために、(b)長者の病気の原因は水木という鳥の言葉を聞き、木を伐るが血が出るなどして倒れず、翌日は元通りになっている。2、木同士の会話を聞いて塩水をかけたりすると木が倒れる。

今回の昔話はどうしても戸籍は一つに確実にこれだと、絞りきれない。つまり、最初に紹介した「木魂聟入」の話では、後半部分の「(b)木を動かした者には褒美をやるという。4、その娘が進水させて褒美をもらい、……」のところがわずかに関連を示しており、また、「大木の秘密」の方でも、Bの方の後半部分「木を伐るが血が出るなどして倒れず、翌日は元通りになっている。2、木同士の会話を聞いて塩水をかけたりすると木が倒れる。」とあるところが関連しているのである。そして、この中で「木同士の会話を聞いて」云々に相当するのは、大原さんの話では、「(杣さんの嫁さんが) 神さんに一生懸命に拝んでいたら、思いがかなったのだろうか、そのうちに神さんが枕神に立たれて……」となり、枕神のことばとなって話が展開している。

また、木を伐った後にできる木屑の処理の方法として、それを焼けばよいとするものは、関博士の分類の中には、どこにも説明されていない。それでは木屑を焼くモチーフは、同類ではまったく見られないのかといえば、必ずしもそうではない。私も何回か聞いた記憶がある。近いところで平成四年夏、島根県鹿足郡吉賀町抜月の田中ユリ子さんからうかがった当地の欅にまつわる伝説「木を伐った話」の中にもそれは見られた。

語り初めのところをちょっと紹介してみよう。

六日市町抜月(ぬくづき)地区にある欅(けやき)の木の話です。これは昔、ヤクロウ鹿の骨を埋めたところに生えたもので伐ってはならないと言われていました。

ところが、昔、偉いお方だった親方さんが、

「月和田があの木が目障りで見えん。下の土地に広く広く蔭をするするけえ、伐ってしまえ」

と言われたので、木挽きたちが集まって伐り始めましたけれど、明くる朝、行ってみますと伐ったところがちゃんと元通りになっています。また新しく伐ります。三日伐っても、朝行って見れば元通りになっていますから、木挽きたちが恐れてしまって、

「こういうわけなので、木を伐ることはやめさしてください」と頼んだそうです。

すると、親方さんは見張りを立てさせたそうです。そして木挽きにその日も欅を伐らせました。

夜、見張りが見ていますと、白い髪をして白い直垂(ひたたれ)を着たおじいさんたちが七人も出てきて、何とかぶつぶつ言いながら、コケラ(木の伐り屑)を拾ってひっつけておられます。

それで見張りの者が寂しゅうなって帰ってしまい、明くる朝見たら、木はまた元のようになっていました。

親方さんは非常に怒って、

「何であってもわしの命令に背くちゅうことは、いけん、絶対に伐ってしまえ。人数をかけてコケラを焼いて、木挽きを増やして夜も昼もいっときも休まんこうに手斧(ちょうの)を打ち込め」と命令したそうです。

親方さんの言われることなので、みんなそういうふうにして、コケラを焼く人は欅の枝の届かないところまで運んで焼きました。そして木をとうとう二日二晩伐り、三日目に伐り倒したのです。そのときに、切株のとこから七人の直垂を着た小人が、煙のように出てきて、

嘆いてどこかへ行ってしまいました。

このようにして話は佳境に入って行く。

しかし、いずれにしても木屑を焼くことによって、木を伐り倒す話は珍しいもののようであり、大原さんの話はそのようなわけで、なかなか貴重なものなのである。

地蔵浄土

地蔵浄土

八頭郡智頭町波多

昔、あるところに、正直なおじいさんとおばあさんとが暮らしていたところが、おじいさんが、「山へ畑打ちに行く」と言って行くものだから、おばあさんが、握り飯をしてやった。

おじいさんは昼まで元気を出して畑を打った。それから昼飯を食べようと思って、風呂敷をほどいたところが、ころころころころころとむすびが転ぶものだから、

「まあ、どこまで転ぶじゃろう。まま待て、まま待て」と言って、ずっと追っかけて行くけれど、むすびはもう何を言っても、いくらでも転んで転んで、その小さい穴へ転んで行った。おじいさんもむすびが食べたいので、

「まま待て、まま待て」と言って、むすびへついて降りて行ったところが、広いところがあって、お地蔵さんがそこに祭ってあって、そのお地蔵さんの前へ、ちょんと、そのむすびが止まった。

それから、そのむすびを見れば、細い穴だったので泥まみれになっている。おじいさんはそ

れから泥をきれいにふるい落として、ふるってもついているので、泥のついたところは自分が食べて、それから中の泥のちょっともつかんところばっかり、そのお地蔵さんに供えて、

「お地蔵さん。お地蔵さんも腹がへろう。あがりましてつかあせえ」と言って、お地蔵さんに出してあげた。そしてまた泥まぶれのところを自分が食べて休んでいたら、お地蔵さんが、

「おみゃえは感心なじいじゃなあ」と言って、

「わしの膝へ上がれ」

「もったいない。何で膝なんかに上がれるだい」

「もったいないことはないけえ、上がれ」と言われるので、それから、おじいさんがお地蔵さんの膝に上がると、今度は、

「肩に上がれ」と言う。

「そんなもったいないことができるもんか」と言ったら、

「もったいないことはない。上がれ」と言われる。それから肩に上がったところが、今度は、また、

「頭に上がれ」

「そりゃ、よう上がらん。それはお地蔵さん、よう上がりません」

「わしの言うようにするじゃ、おまえは正直なええじいさんじゃ、上がれ。じい上がれ」と言

われるものだから、それでお地蔵さんの頭に上がったら、そこで、

「今なあ、こうして腹がへっとるのに、にぎり飯をくれた。そのお礼に笠ぁ一つやるけえ、これ、笠ぁかぶってじっとしとれ。こな広いところに鬼がよけえ出てくるけえ、そいで、ここから丁半（バクチのこと）をするけえ、銭いっぺえめぇて、そうして丁半をするけえ」とお地蔵さんが言うものだから、

「そんならまあ」と言うと、

「そしてなあ、なんじゃで、銭をいぺえまいて、バクチをしょろうから、そいじゃけえ、鶏の真似をするんじゃで」と地蔵さんが言われた。そして、

「ええ加減な時期いなって、鬼が金をいっぱいまいたおりに、羽ばたきをその笠でカサカサカサカサカサカサカサカサするじゃで」とお地蔵さんが教えてくれた。

おじいさんが地蔵さんの頭の上へ上がっていると、本当に赤鬼や青鬼や黒鬼や一本角の鬼や二本角の鬼や、いっぱい来て、それから、その広いとこへ輪になって、銭をいっぱいまいて、そうしてみんなでおもしろそうに丁半をしだした。

それから、おじいさんは「このころだ」と思って、羽を笠にこすってカサカサカサカサカサカサカサカサカサカサ……と音をさせたら、鬼たちは、

「ありゃ、何じゃろう。カサカサいうが、こら鶏、鶏じゃあないか」

「こりゃ鶏じゃ」

「こりゃ鶏じゃで」と言いだして。そいからおじいさんが、ずっとコケッコー、コケッコー、コケッコー言っていたら、

「そりゃー夜が明けた。夜が明けた。もういなにゃいけん」と言って、鬼が全部帰ってしまった。お地蔵さんは、

「にぎり飯をもうたほうびに、あのお金をおまえ、みんなさらえていね」と言われた。それからおじいさんは、そろりそろりと、お地蔵さんの肩に下り、膝に下りてそうして見ると、ずっと大判小判や、まあいっぱいことあったので、おじいさんは笠を置いといたまま、そのお金を全部もらってもどって、おばあさんと、

「まあ、こぎゃこぎゃだった。おばあさん」に話したら、おばあさんが喜んだって。

そうしたら、その晩に隣の欲ばりじいさんとおばあさんが風呂に入りに来たから、

「おばあさん、なんじゃ、こぎゃこぎゃで、地蔵さんからよけえ大判や小判やお金をよけえもろうたんじゃ」と言って話したところが、
次の日、隣のおばあさんが朝早くから起きて、そしてすぐにおじいさんにおむすびを作って

やって、それから、そこのおじいさんが畑を打ちに行った。

それから、昼にもならないのに、早くから、銭こほしいというところで、むすびをその穴に転ばないものを無理に転ばして、ころころころ……と。そうしたら細い細い穴があって、そこを無茶苦茶にもぐりこませて、自分もすっかり泥だらけになって下りた。

そうしたら、広いところがあって、そこにお地蔵さんがおられたから、そこでおじいさんは休んで、そうしていると、えらい目をしたから、おじいさんは自分も腹がへるし、むすびの皮をむいてお地蔵さんに、

「お地蔵さんも腹がへったろう。お地蔵さんも食べんされぇ」

泥だらけのところをみんなお地蔵さんに供えて、そうして、中のよいところだけ、自分が食べていたけれど、

「お地蔵さん、お地蔵さん、膝へ上がらしてつかあさい」と言って、お地蔵さんが上がれとも言われないのに、そのおじいさんはお地蔵さんの膝へ上がり、今度は、

「肩へ上がらしてつかあさい」と言って肩へ上がり、今度は、

「頭へ上がらしてつかあさい」と、前のおじいさんの言った話の通りにして、そいから、笠を持って上がっていると、本当に青鬼やら赤鬼やら黒鬼やら角の生えた鬼やらいっぱいことみん

な出てくるものだから、

「そら、出た、出た、出た」と思って、喜んでいたら、鬼たちは、いっぱいに輪になっておいて、銭をまいて丁半をしかける。おじいさんはほしくてたまらないものだから、それから、笠をカサカサカサカサカサカサカサカサっとさせたら、

「何じゃ、夜が明けたじゃろうかな」

「ふん、夜が明けたかなあ」と鬼たちが言った。おじいさんが、

「コケッコー、コケッコー、コケッコー……」と言っていたら、

「ああ、やっぱり夜が明けた。何ちゅう今夜(こんや)は早(はよ)う夜が明けたなあ」と言って、鬼がみんな逃(に)げてしまった。おじいさんは、

―こりゃまあ、銭がみんなもらえるわ―と思(おも)って、それから、とんで下りて、そうして、その銭をみんな集(あつ)めて、持って帰ろうと思っていたら、一人(ひとり)、鬼が、みんなから逃げ遅(おく)れたのが、近(ちか)くの自在鈎(じざいかぎ)に鼻(はな)がひっかかって、どうしようにも動(うご)かれないものだから、そいから、

「おーい、おーい、おーい」と言って、みんなの鬼たちを呼(よ)びもどした。他(ほか)の鬼たちがもどって来て、

「どげえなことじゃあ」と言って見ると一人の鬼が鼻へずっと自在鈎がひっかかって、逃げら

れないから、それをはずしてやろうとして、みんながはずそうとしていたら、そのおじいさんが欲ばりなので、早く鬼が帰ればいいのにと思っていたけれど、つい、おかしくなって笑ってしまった。

「こりゃまあ、この糞じいめが。くそー、糞じいめが、鶏の真似をしたのは、この糞じいじゃ」と言って、鬼たちはおじいさんを捕まえてぶったり、打ったり、ひっかいたり、とてもひどい目にあわしたので、おじいさんは、もう顔もどこも血だらけになり、手足もひっかかれたり、打たれたり、蹴られたり、瘤だらけ血だらけになって、ようやくそこから抜け出してもどったと。

だから欲ばりはするものではないよ。

そればっちり。

〈語り手　大原寿美子さん・明治40年生＝昭和54年10月7日収録〉

解説

鳥取県随一といってよい大原さんの語りである。昭和五十四年十月七日にうかがったときのものであるが、その語りは実にキメが細やかでみごとという他はない。読者のみなさんは、このすばらしい語りぶりをじっくり味わっていただきたいと思う。

さて、この「地蔵浄土」は関敬吾博士の『日本昔話大成』では、本格昔話の「隣の爺」の中の最初に挙げられている。項目の内容をそのまま引用しておく。

一八四　地蔵浄土（AT四八〇）

1、爺が団子（豆・握り飯）をとり落とすと穴の中に転げていく。2、あとを追っていくと地蔵がいてそれを食っている。3、地蔵はその礼を約束する。4、爺が地蔵の後ろ（天井）に隠れていると鬼が来て博打（ばくち）を打ち、または金を分ける。5、爺は地蔵に教えられて鶏の鳴きまねをする。6、(a)爺はその金または宝物を持って帰る。(b)鬼の飯炊きになって宝物の杓子を持って帰る。7、(a)隣の爺がまねて失敗する。(b)殺される。

この「地蔵浄土」によく似た話として「鼠浄土」があるので、参考までに関敬吾博士の項目から次に引用しておく。

一八五　鼠浄土（AT四八〇）

1、爺が(a)握り飯を穴に転がして追っていく。(b)助けられまたは握り飯をもらったと思って鼠が爺を迎えに来る。2、(a)鼠は餅を搗いてごちそうする。(b)黄金を搗く。3、爺は宝物（大判・小判）をもらって帰り、家が富む。4、隣の爺がまねる。5、鼠が餅を搗いていると猫の鳴きまねをして失敗する。

こうして比較してみると、両者の話は、前半部が共通していて親戚関係にあることが分かるのである。

猫檀家

猫檀家

東伯郡三朝町大谷

　昔あるお寺で猫を飼っていた。和尚さんが寝るときにはいつもちゃんと足拭きを枕元に置いて寝ても、明くる朝間、和尚さんが起きてみると、その足拭きがたいそうびしょぬれになっている。それが毎日続くので、和尚さんが、
—不思議だなぁ—と思って、ある晩、寝ずにいたら、お寺で飼っている猫がやって来て、和尚さんのその足拭きをくわえて出てしまった。
—はあて、どこへ行くかなあ—と思って、和尚さんが猫の後をつけて行ったら、村はずれのお堂まで行った。そこにはたくさんの化け猫たちが集まって、一生懸命でみんな踊っている。よく見たら、お寺で飼っている猫もその中に混じっている。そして汗が出るほど踊ると、猫は和尚さんの足拭きで汗を拭いていた。
—はーあ、そういうことかな—。和尚さんはそれを見届けてもどって、明くる朝、

「猫や、ちょっと来い来い。おまえはなあ、長い間、このお寺で飼ぁてやったけど、今日限りこの寺から暇をやるから出て行きなさい。夕べおまえが仲間と一緒に踊りよったのを見たから、隠しゃあせんけえ言って聞かせるが。その代わりおまえがどこへ行っても、猫の仲間でバカにしられんように、ありがたぁいケチミャクゥやるから、これもって行け」と言われた。

猫は悲しそうに、その和尚さんからいただいたケチミャクを持って出て行った。

それから、どれくらいか経ったときに、よい若い男がお寺へやって来た。

「和尚さんはおられますかな」

「はいはい」と小僧さんが出て言う。

「和尚さん、お客さんがありますが」

「うん、ここに通せ」。

それから、そのお客さんが、

「和尚さん、しばらくです。私はこのお寺に長いこと置いてもらっていた猫です。ありがたいケチミャクをもらったので、どこの仲間へ行ってもバカにされず、頭で通りおります。そこでお礼に和尚さんに大出世をしてもらいたいと思ってやって来ました。今から何日ぐらい先に不幸があって葬式があります。その葬式にゃ亡者はカシャの餌食になっとるけえ、それでどうしても大騒ぎになります。そのときにゃ、どの和尚が来てもかないません。そのとき『あんたのとこの和尚でなけにゃいけんぞ』ってことになります。そのときにゃ来てごしない。それで『ああ、やっぱし、あの和尚はえらい』ちゅうことになって、出世してもらいますけえ。こりゃ嘘ではない、本当のことですけえ、待っとってください」と言って帰って行った。

　それから、何日か経って、

―あのときのこと、客が何こそ言うだら―と和尚さんが思っていたら、使いが本当にやって来て、

「どこそこの和尚さんですか。実はこういうわけで新亡があったけど、どこの和尚さんが来ても始末がつかん。それであんたでなけにゃいけんちゅうことになった。それであんたに来てもらわにゃいけんだ」と言う。

「そうか、なら、行こう」

　そうして、その和尚さんが行って、家の座敷に上がってお経を読んで、棺を出しかけたら、一天にわかにかき曇り、外がたいそうな大雨風になってきた。そうしているうちに囲炉裏の方にいた者が、

「そりゃ、えらいこった、えらいこった。鍋下ろせ、鍋下ろせ。ほりゃカシャという化けが下

りたぞ」と言った。化物が自在鈎を伝わって下りて来るのだそうな。そして、下りてきた化物が棺桶の近くへ寄って来て、

「どこそこの和尚さえおらにゃええと思っとったら、その和尚が来たけえ、持って帰るわけにはいかん」と言った。その和尚さんは棺桶の上にあぐらをかいて、

「取れるもんなら取ってみい」と言って、ホッスを持って払ったら、化物は、

「とてもかなわんぞ。逃げろ、逃げろ」と逃げてしまった。

それでその和尚さんはそれが評判になって、それから大出世をしたという話だ。

昔こっぽり。

〔語り手　山口忠光さん・明治40年生＝昭和63年8月19日収録〕

この「猫檀家（だんか）」の話は、かなり珍しいもののようでなかなか覚えておられる方が見つからない。しかし、鳥取県中部の語り手であるこの山口忠光さんは、私がお願いすると快くどんどん語ってくださったものである。

まずは語り手の山口さんのことから話を始めよう。

おじゃましたのは昭和六十三年の夏のこと。米子高等専門学校の天神川流域民俗総合調査のおり、私もその一員として参加していた。このメンバーであった筑波大学の学生諸君が「山口さんはすばらしい語り手のようです」と報告してくれたことから知った方であった。うかがってみれば、噂の通り、実にきめの細かな語りをなさるとても優れた語り手であり、私はこの時代にまだこのようなりっぱな語り手に巡り会えた喜びに有頂天になりながら、数日連続して山口さんをお訪ねし、多くの話を教えていただいたものであった。山口さんは短期間であったにもかかわらず、四十四話にも及ぶ昔話を語ってくださったのである。珍しい話としては「狸の毛氈」「難題聟（利口買いの入り聟）」「喜助とおさん狐」「鎌と犬ころの離縁状」「男神さんか女神さんか」「北の吸物と大名の吸物」などがあった。

さて、山口さんの語りには一般的に欠落部分は見られず、表現は実に豊かで、しかもきめの細やかさについてもみごとなものであった。それというのも山口さんは、若いときからいわゆる「語りじさ」的存在だった。それは今から五、六十年前というから山口さんの二十代前半くらいと考えられる。

ところで、この大谷地区は山間部の袋小路のような位置にあり、ある意味では陸の孤島とでもいっていい所であった。今日でこそそこへは車も入るが、昔はさぞかし交通の便が悪かったことだろうと想像できるのである。山口さんはそのころ、雪の積もっているような二年間くらいは、地区十二軒のうち二、三軒の小学校高学年の子どものいる家庭を訪ねて、昔話をして回っておられたという。当時は小学校の分校がこの大谷地区にあった。子どもたちは高等科になればここから通学できず、約十キロ離れた穴鴨地区に出なければならなかったが、初等科のある分校までは自宅通学ができたのである。そのころは宿題のあるようなこともなく、いたってのどかな時代であった。山口さんが訪問すると親も喜んでご馳走を出してくれたりした。なお、山口さんは自分の子どもや孫にも語っておられたが、その方はどちらかというと奥さんの方がよく語っておられたという。しかし、このような体験からであろう、山口さんの語りは先にも述べたように実にりっぱで、鳥取県を代表する語り手と言っても決して過言ではないと断定できる。

以上、まずは語り手である山口さんのお住まいの周辺から、昔話を育んでこられた雰囲気をご理解いただくべく、説明を加えたのであるが、豊かな語りは素朴な袋小路のような環境の村から生まれるものではないかと思えてならない。

また、この「猫檀家」について補足すると、先にも触れておいたように、最近ではあまり見つからない話であるが、鳥取県内ではこれまでに十話余り採集されている。元々はよく知られた昔話であり、全国各地で同類は発見されている。関敬吾博士の『日本昔話大成』(全十二巻・角川書店)によれば、本格昔話の「動物報恩」の中にある「猫檀家」として登録されているので、ここではその項目の解説をそのまま引用しておく。

1、貧乏寺の和尚が(a)食うものがないので飼い猫に暇をやる。(b)飼い猫が山で仲間と踊り、または酒宴しているのを発見する。2、(a)猫が和尚の夢枕に現れ、または(b)小僧に化けて報恩を約束する。3、(a)長者の娘（婆）の屍が奪われる。または(c)葬式のときに大嵐になる。4、他の寺の和尚たちは屍（子供）を奪い返すことができない。5、貧乏和尚が頼まれてとり返し、(a)金をもらう。または(b)檀家が多くなる。

このようにこの話は、れっきとした全国的な戸籍を持っている。ただ関敬吾博士の内容を抽出したものと、先の三朝町の山口さんの話とを比べてみると、細かいところでは多少の違いが見られる。少し具体的にその部分を挙げてみよう。

例えば猫が寺を出る動機であるが、関博士の方は「食うものがないので飼い猫に暇をやる」としているけれど、三朝町のは「足拭きがぬれているのに不審を抱いた和尚さんが、足拭きを持って出かける飼い猫の後をつけて行くと、その飼い猫は化け猫の仲間になって踊りを踊る。このことを和尚さんが知ったので暇を出す」ということになる。次に、関博士の方では「猫が和尚の夢枕に立ったり、または小僧に化けてきて報恩を約束する」となっているところが、三朝町では「猫が若い男となって和尚さんを訪ねる」ことになる。さらに関博士の方では葬式の場で「長者の娘（婆）の屍が奪われるとか、子供が奪われたり、大嵐になったりする」けれど、三朝町の話では単に「大雨風になり、自在鈎を伝ってカシャという化物が棺桶に近寄って来る」ことになるなどである。

なお猫が和尚からもらう「ケチミャク」であるが「血脈」と表記し、簡単に言えば師から弟子へ与える免許状のようなものを指していると考えられる。

それはそれとして、両者の話は大筋では同じであると言ってよいようである。つまり、この小さな相違点がいわゆる地方色と称せられるものであろう。

なお、島根県内ではこれまでに五話（雲南市、飯南町、江津市桜江町、美郷町、益田市匹見町）ほど、また鳥取県内では十二話の同類が採集されているが、東伯郡琴浦町のものが十話で、この中でも別宮地区のものが四話を占めている。他に同町大父と鳥取市用瀬町松原の各一話がある。そして東伯町の話では、別宮地区にある天台宗の転法輪寺に飼われていた猫の話として伝説化されたものが有名であり、また、猫が持ち出すものは、和尚さんの草履としているのもあるが、法衣としている場合が一番多いようである。

●民話語り部グループのこと

山陰両県にも民話の語り部グループがいくつか存在している。島根県に比べると鳥取県の方が早く結成されているが、活動そのものは大差ない。定期的に一般に語りを公開したり、学校や地区の公民館、介護施設などへの語りの出前に出かけていることは、お互いに共通している点であろう。

そうは言っても、グループが違えばそれだけ特性も微妙に異なっている。鳥取県には「さじ民話会」がさじ谷話を伝承し、語りつぐ活動を続けており、平成十四年に佐治村が佐治谷話七十八話を無形民俗文化財に指定し、それの保存団体としてこの会を認め、それは平成の大合併で鳥取市に合併された後も、そのままの立場を認められている。無形民俗文化財として行政お墨付きの民話の語り部団体としては全国唯一である。

その他、鳥取市には「とっとり民話を語る会」、倉吉市には「倉吉民話の会」、米子市には「ほうき民話の会」があり、この四つの団体で鳥取県民話サークル連合会を結成しており、毎年、総会を開いて情報交換を行い、語りを披露し合っている。ただ、多くは会員の高齢化や活動のマンネリ化に最近は悩んでいる状況にある。

特筆すべきことは、公益財団法人・社会貢献支援財団から、令和元年にとっとり民話を語る会、令和二年にはほうき民話の会が表彰を受けたことであろう。

一方、島根県の方であるが、松江市の出雲かんべの里民話館に「とんと昔のお話会」があり、毎日、語り部が常駐し入館料二〇〇円で、民話が聴ける仕組みになっているが、これは特殊なケースである。

出雲市には「いずも民話の会」、益田市には、「民話の会・石見」があり、数年前にはそれぞれ五〇話ずつ語りを集め、会員の語りのDVD付の単行本を出版しているところに特色がある。とんと昔のお話会『出雲かんべの里の語り』・悠書館刊、いずも民話の会『神々の運定め』・ハーベスト刊、民話の会・石見『夕日を招く長者』・ハーベスト刊がそれである。

他に吉賀町には「ぽんぽこりん」があり、ヤクロ鹿伝説を語りつぐ活動を熱心にしている。

ホトトギスの鳴き声

ホトトギスの鳴き声

東伯郡琴浦町高岡

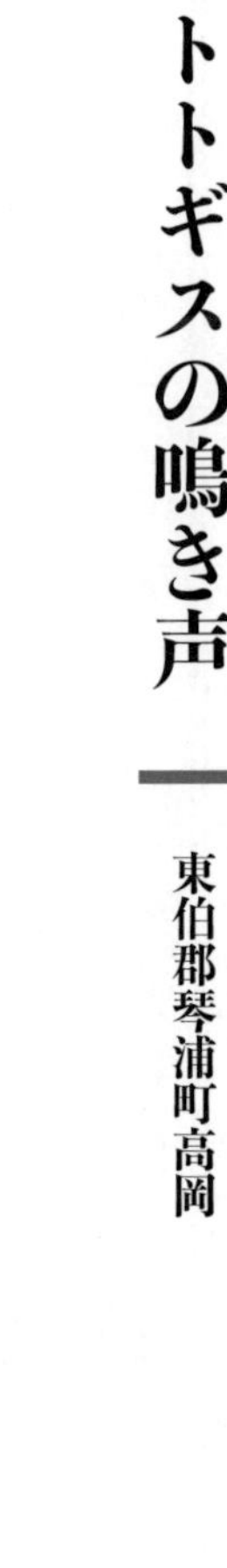

ホトトギスの鳴く声をよく聞きますと、それは「オトトコソ、オトトコソ（弟こそ、弟こそ）」

というふうに聞き取れますわ。その由来の話ですよ。

昔、たいへん仲のよい二人の兄弟がありました。

ところが、あるとき、兄さんが病気になって床についてしまいました。弟は、

―これはまあ、えらいことになった。何とかして兄さんに元気になってもらわねばならん―

というので、隣の人に聞いたら、

「山に行って山芋を取ってきて、それを食べさせたら精がつくだないか」と教えてくれました。

そこで弟は、早速、毎日毎日、山に行って山芋を掘ってきては、兄さんに精がつくように食べさせてあげました。兄さんも、たいへんに喜んでそれを食べさせてもらいながら、

―こがあにうまいもんがあるだか。弟はおれにうまいもんを食わせるだが、あいつは山へ行っ

てこれを取って来るだけん、まんだうまいところを食うとるだらぁ―と思って、あるとき、弟が寝ているときに、その弟を殺して腹の中を見たら、弟からは山芋の首しか出てきませんでした。つまり、山芋の小さいところばっかり食べていたということが分かったのです。

そこで兄さんは、

―弟は芋の一番屑のところを食って、おれにはこがいないいところを食わしてごいとっただが―と思って、弟を殺してしまったことをとても悲しんで、弟にたいへん感謝しながら、いつの間にかホトトギスになってしまって、大空を飛び飛び、「オトトコソ、オトトコソ……」と鳴くのだそうです。

そして、ホトトギスは八万八声鳴かなければ恩送りができないとも言われています。

〈語り手　高力秋寛さん・昭和3年生＝昭和61年8月2日収録〉

東伯郡琴浦町高岡大熊地区は私にとって忘れられないところである。その昔、昭和三十七年の早春のこと。島根県浜田市三隅中学校に勤めていた私は、ある日、島根大学教育学部の溝上泰子教授のお宅を訪問したが、たまたま先生宅に来ていた琴浦町高岡大熊地区出身の教育学部学生、高力美和子さんに出会い、彼女に誘われて琴浦町訪問となった。昭和三十七年三月五日のことであった。

ここは船上山麓の集落で、南北朝のころ隠岐を脱出された後醍醐天皇が、当地の豪族、名和長年を頼ってこの地に来られた。喉が渇かれ水を所望されたら、力の強い者が岩をどけると清らかな水が湧きあがったので、そこを「天皇水」と言い、その人は天皇から「強力」の姓を賜わったが、今日「高力」と表記しているという。この伝説と共に泉は存在していた。

さて、高力さんのお宅では歓迎された。美和子さんの祖父、鉄蔵さんから民間信仰にまつわる話をうかがい、天然痘が流行ったとき、この悪神を送り出す「送った、送った疱瘡の神、送った」という珍しい唱えをうかがったのもこのときであった。そのほかお宅では、近所の方々も集まってくださり、いろいろな口承文芸を聞かせていただくなどした。懐かしい思い出である。

話は少し横道にそれることをお許しいただきたい。

溝上泰子先生といえば、白髪に赤いベレー帽をかぶりながらさっそうと闊歩し、山陰の婦人たちに封建的な生活から脱却するよう積極的に発言し、その地位の向上に大きく貢献された。当時、未来社から『日本の底辺』というベストセラーを著されたことで、山陰に溝上ありと一躍有名になられた方でもあった。ところで、そのころ島根大学の学生であった私であるが、学部や専門が違うこともあり、肝心の溝上先生の講義は聞いたことはなかったものの、同級生から「教育学部にすごい女の先生がおられるから行ってみよう。毎週水曜日の夜はだれが行ってもよいことになっているから」と誘われたのをきっかけに、ときどき訪問する常連になっていた。いつしか私たちは水曜会（後の「生々会」）という名前をつけ、回覧雑誌を作ったり、卒業後も連絡を取り合ったりしていたものである。実際、まるでどこかの宗教団体の教祖のような、強烈で個性的な主張をされる先生の魅力は、若かった私たちを虜にした。秋にはコスモスが官舎の庭に咲くお宅は、狭いながらよく多くの人たちが出入りしていた。溝上先生はご自分の墓の代わりにと『人類生活者溝上泰子著作集』全十五巻を出版されたが、平成二年十月十一日、八十六歳で亡くなられた。当時の仲間たちは「コスモスの会」と称して、平成七年まで年に一度集まって先生をしのんだのであった。

　話を元に戻す。この高力秋寛さんの話は、私が最初に琴浦町を訪れてから二十四年後の昭和六十一年八月二日に聞いたものである。そして語り手の高力さんは先に述べた美和子さんのお父さんである。最初の訪問ではうかがえなかった話であったが、四半世紀後の訪問で語っていただけるとは、まさに縁の不思議さとでもいうのであろうか。

　この話は関敬吾博士の『日本昔話大成』で「動物昔話」の「小鳥前世」譚の中に、次のようになって位置づけられている。

四六　時鳥と兄弟

1、弟（妹・父母）が兄（姉・子）に芋を与える。2、兄は弟がよい部分を食い、自分には悪い部分をくれたと邪推する。(a)兄は弟の腹をさいて見る。または(b)弟が自分で腹を割って見せると、芋のくずが出る。3、兄は悔いて時鳥（ほととぎす）になる。（弟恋しいと鳴く）。

高力さんの話はまさに関敬吾博士の示された戸籍通りに語られている。同類は鳥取県内のあちこちでこれまでにも収録されているが、おおむね兄が弟の腹を割く形で話が展開している。ただ、岩美郡岩美町田後では、反対に盲目の弟が山芋を取ってきて、おいしい方を食べさせてくれている兄を邪推して、その兄の腹を割く形であり、したがって鳴き声も「弟恋しい」ではなく、殺された兄が鳥になって「オットト（弟）見たか」と鳴くことになっている（山田てる子著『むかしがたり』昭和53年・日本写真出版）。

また、この鳴き声については、県内でも多少のばらつきが見られる。高力さんと同じ「おとところ」とするところは、同町別所・山川・国実、東伯郡琴浦町古長など。「おとと来たか」が、岩美郡国府町神垣、倉吉市尾田、鳥取市用瀬町松原・河原町河内、日野郡日南町など。「弟まだか」が八頭郡智頭町穂見であり、少し変わったのでは八頭郡若桜町大野で「親ののどを掘らにゃよかった。アオアオ」である。

続いて同類の話でありながら鳥の名をアオドリとしているのが、若桜町栃原であり、鳴き声は「アーオアオ」である。

海外で類話を捜してみても、今のところあまり見つからないが、わずかに中国のミャオ族に似た話の伝承されていることが分かっている。あらすじは次のようである。

兄が弟には魚の身を食べさせ、自分は頭ばかり食べていると、弟は頭のほうがうまいかと疑って兄を川へ突き落とす。頭を食べると骨しかなく、弟は「兄恋しや」と鳴きつづけて兄恋い鳥になった。（村松一弥編訳『苗族民話集』東洋文庫・昭和49年・平凡社）

先祖の人たちは、昔話を通じ鳥の鳴き声に託して、子孫たちにより正しく生きるよう訴えているのであろう。

●昔話と民間信仰

桃太郎とか猿蟹合戦、鼠浄土、花咲爺などのたわいもないと思われている昔話であるが、それはとんでもないこと。その奥にはわが国古来からの民間信仰に裏付けられているのである。

まず昔話を語る時期や時間について見ると、「話は庚申の晩」とか「二十三夜待ちに語れ」などの言い伝えがある。六十日に一度回ってくる庚申の夜は、三尸（さんし）の虫が体から抜け出て天に昇り、天帝にその人の罪科を報告するので生命を奪われるから、この夜は眠らずに語り合い、酒宴を催すべきであるとされている。二十三夜待ちはこの日に月の出を待ち、神のお出ましを待つための講を行ったりしているが、その席で昔話を語ったりしていた。ある意味では神を拝む際の祝詞（のりと）に相当するのが昔話だったといえるようである。

「昼、昔話を語るとネズミが小便を仕掛ける」とか「昔話は夜語るべきもの」とされていたのも、神と人間の交流できる時間帯は夜であるとされるからである。

また昔話の話頭句「とんと昔があったげな」の「とんと」は、尊い昔、つまり神代の昔を意味していたのである。

平成十四年五月、筆者はアジア民間説話学会の一員としてシベリア地方へ出かけて来た。アムール川上流の少数民族であるナーナイ族を訪ね、トロイツコエ村の小劇場で語り手のペリーデュイー・リュボービ・デキンブウナさん（五十五歳）から昔話を語ってもらったが、初め彼女は「昼に昔話を語ることはできません。それは鳥が天帝に告げるからです。昔話は夜に語るものです」と話していた。わが国の言い伝え同様、昔話は昼は語らないという共通点が確認できた。このナーナイ族はモンゴロイド系であり、したがってわが国や中国、韓国の人々と同じような顔つきをしている。それだけにお互いに最初から違和感のない親しさが湧いてくるから不思議でもあった。

このようにたかが昔話といっても、その底を流れている心は祖霊信仰に裏打ちされていることを、筆者たちは理解しておく必要があるのである。

博打うちと呪宝

博打うちと呪宝

倉吉市湊町

昔々あるところにたいへんな博打うちがおったという。

その博打うちは博打に負けて裸になってしまい、たった一枚のウチワしかなくなってしまったので、しかたなく山に上がって、

「困った。ほんにああ困った、困った。何にもなぁなっちゃっただが」と言いながら、やけになって

「京見たか。大阪見たか。大阪見たか、京見たか」と言って、あっちこっち見たりしていたそうな。そうしたら、それを見ていた一人の天狗が、

「はあてな。『京見たか。大阪見たか』って言うだが、ほんにあがあなこって京や大阪が見えるだらあかい」と不思議に思って、

「なんと。おまいは今『京見たか、大阪見たか』て言っただが、そんなこって大阪や京が見え

たかい」と木から下へ降りてきたそうな。博打うちは、

「見える、見える。このウチワをこうしてかざせば、あっち向きゃ京が見えるし、こっち向きゃあ大阪が見えるだけえ」と言ったところが、その天狗もウチワを一枚持っていて、

「なら、こんなと替えよかいな。これはなあ千里ってったら、ちゃんと千里走るちゅうし、鼻高んなれちゅうたら高くなり、低うなれちゅうたら低くなるけえのう。これと替えよいや」と言う。博打うちは、

「へえ。なら、替えましょう」と交換してしまった。天狗は早速そのウチワで、

「京見たか、大阪見たか」と言ったところが、さっぱり見えはしなかったけれども、博打うちの方は、

「千里」と言ったら、なんと千里走ったので、天狗の方が負けてしまったそうな。

　博打うちはそのようにしながら、江戸まで行ったそうな。

「なんと江戸まで来たけど、こがなボロを一つ着ておってはいけん。どがあもならんだが、なんどええことはないだらぁか」と思って、ぐるりぐるり見ておったところが、ちょうどそのときに鴻池のお嬢さんの婚礼のたいへんな行列が進んできて、ナゴヤ（祝言歌のこと）をうたうところに来て止まったそうな。

博打うちはその車の後ろについておって、

「ちょっとこのウチワを使ってみたろうかい」と思って、

「高んなれ、高んなれ、高んなれ。鼻、高んなれ、鼻、高んなれ」といったところが、なんと鴻池のお嬢さんの鼻が、天狗の鼻のようになったそうな。

「こら、大変なことだ。婚礼どころではない。こらまあ、ナゴヤ歌うために車止めとったら、鼻が高んなっちゃって。まあ帰らにゃいけん」というので元の家へ連れて帰り、お嬢さんを奥の間へ寝かしておいて大騒動になって、みんなで心配していると、翌日、表の通りを、

「鼻治し、鼻治し」とだれかが通るのだそうな。

「ありゃっ。鼻治しだ」とやれこらと出てみたら、いなくなっていた。通ったのは博打うちだったわけで、その博打うちは、もう一回あの家のところへ行ってやろうと思って、また、行ったそうな。そして、

「鼻治し、鼻治し」と言って通ったところ、家の中から人が出てきて、

「なぁんと、ちょっと鼻治しさん。あんた、どがな鼻を治しなはるだか」と言ったら、

「どがな鼻でも治す。高にしてほしけら高にでもなり、低にしてほしけら低んなる」と言うので、家の者は、

「実はこういうわけだが」と話したところが、

「あ、そがな鼻ならみやすいことです。なんぼでも治いてあげますよ。金はかかるけど」と言ったら、

「金はなんぼでも出すけん、まあ治いたげてつかわんせえ。ように困っとりますだけえ」と言ったので、

「ま、とにかく、おれはこういうふうなボロを着ておるので、こんなふうをしてはお嬢さんの前にもよう出んし、お宅もこがなふうしちゃあいけんでしょうけん、なんか着せてつかわせえなぁ」と言ったところ、

「よしよし、そこの旦那の紋付、羽織袴借りてあげるから」ということになり、博打うちは、旦那の袴をはいて羽織を着て、そこの家の人たちみんなの人払いをしてから、お嬢さんの背に回ってウチワであおいで、

「鼻低んなれ、鼻低んなれ。低んなれ、低んなれ」とやったら、だいぶん低くなったそうな。

しかし、あんまり早く元にしたら銭にならんから、まあこのくらいでおこうと思って、

「まあ、今日はこれまで」と帰ってしまったそうな。そうしてまた明くる朝やって来て、

「まあ、一週間どまぁかかりますけえな。金うんと用意しといてつかぁんせえよ」

と言ったそうな。そうして明くる日も明くる日も出かけて来て、とうとう一週間で治したそうな。家の人たちは喜んで喜んで、まるで神様のようにして喜んでくれたそうな。

そうして博打うちは、お金はたくさんできたし、とうとうわが家へ戻って来たそうな。

それから博打うちは、天神川の河原に出て仰向けになって、そのウチワを手に持って、

「鼻、高んなれ。高んなれ、鼻や。鼻や、高んなれ、高んなれ」とやったところが、一丈にもなったというので、博打うちは、どのくらい高くなるものだろうか。もっと高くしてやろうかいと思って、

「高んなれ、高んなれ、高んなれ」とウチワをあおいでいたら、鼻はずんずん高くなって天に届いてしまったのだそうな。

そして、このように天に届いてしまったら、鼻はだわっと弓のようになったそうな。

ところが、天では天竺から神様の子どもが遊びに来ていて、伸びてきた鼻を見つけたそうな。

「何だいこりゃ。おい、ここへ何だか出てきたぞ」と言っていると、いくらでも伸びてくる。

「これはじゃまになってかなわんがな。隠れっこするのに引っかかってかなわんがな」

「そんなら、こんなもんくくっとけ」と近くのところへくくってしまったそうな。

けれども、博打うちは、そのようなこととは知らず、

「あら、こっで天に届いたふうだわや。こんだぁだわだわみたいになったけえ、なら、このへんで低うにせにゃならんが」と思ったので、

「低んなれ、低んなれ、低んなれ、低んなれ」と言ってみたら、たわんだところはしゃんとなったけれども、それからは自分の身体がドッドドッドッドッドッドドッドッド持ち上がってしまい、くくられているものだからズッズズズッズ一丈も上がってしまった。

……


「それから先は話すだか」

「話しないな。話しないな」

「そいからいって、話しゃ話すかえ」

「話しないな。話しないな」

「はなしゃいけんがな」

「はなしてぃな」

「はなせば、ポテーンと落ちちゃった。そういうことだぞ」

〈語り手　名越雪野さん・明治40年生＝昭和55年9月17日収録〉

解説

これは昭和五十五年九月十七日にうかがったものである。語り手の名越雪野さんは、明治四十年六月五日生まれで当時七十三歳であった。元気はつらつとした実に見事な語り口であったことが、今も強く印象に残っている。

関敬吾博士『日本昔話大成』によれば、この話型は「笑話」の中の「誇張譚」に属し、以下のようになっている。

四六九　鼻高扇

1、博徒（貧乏者・小僧）が、(a)神に祈願して、(b)神と博打を打ち、(c)天狗をだまして鼻の高くなる呪物（篦、扇、鼓、笏、小槌、椀・火吹き竹、糸巻）を得る。2、長者の娘の鼻を高くし、治療してやり、(a)聟になり、または、(b)金を得る。3、自分の鼻を高くして、(a)天まで伸びぶら下がる。(b)火事にあって焼く。(c)または切られる。

おおむねこの原則で話が展開している。ウチワは扇に通じているのであろう。共にあおいで風を起こすところに用途の目的がある。

ただ、名越さんの話では、最後のところの「……」以下からは、語り手と聞き手の掛け合いになっており、「話すこと」が同音異義語の「放すこと」にすり替えられて、この話を終えるという、聞き手参加形式になっているところが変わっている。

「それから先は話すだか」

「話しないな。話しないな」

「そいからいって、話しゃ話すかえ」

「話しないな。話しないな」

「はなしゃいけんがな」

「はなしてぃな」

「はなせば、ポテーンと落ちちゃった。そういうことだぞ」


関敬吾博士の『日本昔話大成』では「笑話」の中で「形式譚」というのがあり、次の例が挙げられている。

六三九　尻切れ話（AT二二五〇）
坊主が鳥をおさえた。そのつぎはなすか。はなせ。鳥は飛んで行った。

名越さんの納め方はまさにこれに該当しているのである。

●特色ある民話語りグループについて

山陰地方の民話を語るグループについては、別なところで紹介しておいたが、活動内容で参考になりそうな事例について、ここでは紹介しておきたい。

米子市の「ほうき民話の会」は、奇数月の第三日曜日午後一時半から山陰歴史館で語りを公開しているが、偶数月の第三日曜日には米子市立図書館の一室で、書き言葉で書かれた単行本に掲載された民話資料を、話し言葉で語る場合、どのように表現すれば聞き手の方々が自然に納得できるか、推敲した原稿をメンバーに提示して検討している。このような蔭の努力があってこそ、語りに磨きがかかるのであろう。

島根県では出雲市大社町の「いずも民話の会」が、小学生児童の希望者に語りの指導を続け、八月の出雲大社・北島さんの天神祭に語りを披露。来館者の喝采を浴びており、児童たちは準会員として、毎月の定例会にも参加して語りを披露したりしているのである。

平素の子どもたちの練習は、会員の家に集まり、会員の指導を受けながら腕を磨いている。そして町内の有線放送でも子どもたちは語る機会を与えられ、町内に放送しているが、「放送を聴いたよ。上手だったね」と近所の人たちから思いがけない評判を聞き、それがいっそう励みになっている。子どもたちは次代の語り部としての期待が寄せられるまでに成長しているのである。

益田市の「民話の会・石見」では、毎年秋に「ふるさとの民話の里巡り」を企画し、マイクロバスを借り切って、全員で伝説の地を巡っている。昨年は吉賀町を訪問し、当地の民話グループぽんぽこりんの案内で、ヤクロ鹿伝説地を巡ったり、交流会を開き、語りの交換や紙芝居を見学している。別な年では津和野町訪問、匹見町訪問、水族館見学など多彩である。令和二年に限っては、新型コロナウイルス感染症騒ぎのため中止されたが、いずれこれらが旧態に復した暁には、再びこの企画が復活するものと思われる。

以上、各グループの長所を参考にすれば、お互いのグループがいっそう成長するものと思われる。

狐のかたき討ち

狐のかたき討ち

西伯郡大山町高橋

　なんとなんと昔あるところに法印さんが、坊領の浦島という宿屋に泊まっていました。そして、宿の人に、

「明日は大山へ上があけん、とうに起きて弁当作ってごしなはいよ」と言って休んだので、宿では早く弁当を作ってあげました。なにしろ昔のこととて、今のような汽車や自動車などはなく、朝からワラジを履いて歩かなければならないので、法印さんは朝早く起きて、さあ、大山へ上がろうと思って、弁当をもらって鑪戸というところまで上がりかけたら、そこに狐が寝ていました。

「あら、あげんとこへ狐が寝ちょうけん、おびらかいちゃらい（びっくりさせてやろう）」と思って、法印さんは、よく寝ている狐のそばへ行ってホラ貝を吹いたら、狐はとてもたまげてしまって跳び上がって逃げ去ってしまいました。

「おもしろいことをしてやった。狐を驚かしてやったわい」と法印さんは、一人でおもしろがりながらどんどん山道を上がりかけて行ったら、あたりが暗くなってしまったのだって。

「あら、これ、昼間のはずだが。坊領からここまで来うに夜さにならにゃええが、まあ、何てことだらかい」と暗目で、それでも上がりかけているとお堂があったのだって。

「ああ、こぎゃんとこに堂があわい。ほんに、ここへ入ってタバコしちょうだ（休憩している）わい」。こう思って入ったところ、なんとその中に化物がいるではありませんか。

「きょうとい（恐ろしい）ことだわい。なんだい化物が出た。はや、屋根に上がらんならん」

法印さんは急いで屋根に上がり、どんどん上へ上へ行きますと、化物も、

「わが（おまえが）上がったてちゃあ、おらも上があわあ」と言ってついて来ます。

「しかたがにゃ。こら、ま、今夜はここで、おらは化物に噛まれえだわい」と法印さんは思って、その堂の一番上の屋根裏まで上がって、ネキにつかまって、

「ホラ貝の吹き納めだけん。もう一回ホラ貝を吹いてみょうかい」こう思って、一生懸命ホラ貝を吹いたところ、なんと、あたりが明るくなったのだって。

法印さんが見回してみますと、堂など何もありません。そして、自分は松の木のてっぺんの一番上の方まで上がって、木にしがみついていたのだったって。

実（じっ）は驚かされた狐が腹（はら）を立（た）てて、その法印さんを化（ば）かしていたのだって。

その昔のこんぽち。

〈語り手　片桐利喜さん・明治30年生＝昭和61年8月4日収録〉

解説

昭和五十八年から六十一年にかけて、私は大山町高橋のこの片桐さんのお宅をときどき訪ねていた。明治三十年生まれというご高齢の片桐利喜おばあさんは、せっせと家の仕事にいそしみながら、私の訪問をいやがられもせず、いつも親切に多くの昔話を語ってくださっていた。そしてこの話は昭和六十一年八月四日、米子工業高等専門学校主催の大山北麓民俗調査団と広島修道大学民俗調査団が合同で調査にあたったさい、広島修道大学学生の波多野祥子さんと共に私が片桐さんを訪れたおりにうかがったものであった。

このあたりは雲伯方言圏に属している。したがって、片桐さんもまた、そのような言葉であった。松江市在住の私にとっては、片桐さんの温かい人柄ともあいまって、まるでわが家の近くに来ているような親しみを感じていたが、はたして波多野嬢の方はどうだっただろうか。広島県在住の彼女にしてみれば、お人柄からくる親しみは私と同じように感じたにせよ、言葉そのものは恐らく難解極まるものだったに違いないと想像される。

さて、片桐さんの語りの特徴は、語り初めが「なんとなんと昔ああとこに」であり、語り納めは、この話の「その昔のこんぽち」の他に「その昔こっぽちゴンボの葉。(和えて噛んだら苦かった)」、あるいは「その昔こっぽり」など、その都度の気分によって数種類に使い分けられている。そして、語りの雰囲気は常に温かく、孫に接するようなやさしい調子であった。

ここらで少し話題を替えて、語り納めの言葉(結句)について述べてみる。これが鳥取県東部地区になると智頭町波多の大原寿美子さんの話で見られるように「そればっちり」となっている。しかし、多くは忘れ去られているようで、はっきり結句をつけて語る人はもうあまり見られないようである。

一方、島根県下で結句について眺めてみると、出雲地方ではたいてい「昔こっぽし」であり、一部に「昔まっこう」と言っているところがある。石見地方では「ぽっちり」、「けっちりこ」である。隠岐地方はかなり多彩な種類が見られ、島後の隠岐の島町（旧・都万村や五箇村）の「すっとんかっとんからかっとん」「すっとんからん」から、おなじ都万村でも津戸地区や蛸木地区に限っては「とんよ」となり、旧・西郷町中村地区の「とん」に通じている。これが旧・西郷町全般では「すっぺらぽん」となる。島前では、もうあまり明確な語り納めを記憶している人は少なく、西ノ島町での「こっぽし」、海士町での「その昔」などが、わずかに聞かれる程度である。それに対し、同じ島前でも知夫村では、なぜか「その昔のごんべのはあ」で統一されている。決して「隠岐は一つ」でないのである。

ところで、話題を元にもどして、ここに紹介した「狐のかたき討ち」の昔話について述べてみることとする。

関敬吾博士の『日本昔話大成』の分類によると、「本格昔話」の「人間と動物」の中の「愚かな動物」の項に「山伏狐」としてその戸籍がある。その部分を抜きだしてみると次のようになる。

二七五A　山伏狐
A　1、山伏が寝ている狐をほら貝でおどすと狐は驚いて川に落ちる。2、急に暗くなり葬式にあい、山伏は傍の木に登る。木の根に死体を埋め夜中に死者が木に登って来る。3、

(a)梢の枝が折れ彼は川の中に落ちる、(b)木の上でほら貝を吹く。気づくと日は暮れていない。人が笑っている。

B　1、山伏が寝ている狐をほら貝でおどす。2、その狐を山伏に化けているのを他の者(他の山伏)が発見する。3、先の山伏は狐が化けたのだと村人に告げこらしめられる。

二七六　山伏と一軒家（cf．AT八一二）

1、山伏が狐をおどすと、狐はおどろいて川に落ちる。2、日がくれ一軒屋に泊まる。(a)死者が出て来る。(b)病人がうなっている。(c)婆がおはぐろをつけ大きな口を開けて見せる。3、山伏は驚いて逃げ川に落ちる。気づくと日は明るく、人に笑われる。

これで見ても分かるように、大山町の話は、間違いなくこの種類に符合する。関敬吾博士の分類では三つのタイプになっているので、片桐さんの話はそのうちのどのタイプに当てはまるかと眺めてみると、どうやら最初のAタイプにもっとも近いようである。ただ、これとの違いを詮索してみると、片桐さんの話には、葬式の代わりにお堂が出てくるのと、死者の代わりに化物が現れること、さらには川に落ちるくだりは欠落している。このような違いこそ、いわゆる昔話の地方色ということができるのである。

それにしても、この「狐のかたきうち」の話のおもしろさはどこから来るのであろうか。それは山伏のちょっとしたいたずらに怒った狐が、得意の変化（へんげ）の術を使って、法印さんに仕返しをしようとするのであるが、法印さんが逃げれば化物もじりじりと追いかけて来る。そして化物に追われた法印さんがいよいよ万事休したと観念し、この世の最後にホラ貝の吹き納めをしようと一生懸命にそれを吹いた途端、その念力が通じたのか、狐の術が破れ、思わぬどんでん返しで助かるところにもある。

正気に返った法印さんが辺りを眺めて見れば「堂など何もなく、ただ、自分が松の木のてっぺんの一番上の方まで上がって、木にしがみついていたのだった」ということで話のオチがつく、いたって他愛もない結果であるが、この奇想天外などんでん返しにこそ、この話のおもしろさを見つけることができるのである。

語り手の片桐さんも幼いころ、きっと胸をわくわくさせながら、この最後のくだりを聞いておられたのに違いない。そして語り手のおばあさんに「もう一度話して」と毎晩のようにこの話をせがまれていたことだろう。話をうかがいながら、私はそのようなことを、いつの間にかあれこれと考えていたのであった。

富山の薬売りの化け物退治

富山の薬売りの化け物退治

米子市観音寺

とんとん昔があったげなわい。

寒い寒い十二月の雪のパラパラパラパラパラパラ降るような寒い日に、毎年のことだけども富山の方から薬屋さんが、薬の入れ替えに来られてなあ。集落の家から家へずーっとその薬を入れ替えに大けな薬箱を負て、次から次から、家を回って行かれたげなわい。その薬屋さんは毎年そこんところを回って来なぁだけん、もう家の人とみんな心安うなって、

「また薬を入れ替えに来ましたけんなあ、まあ一つ今年もよろしく頼みますけん。来年もまたやって来ますけん」と、次から次から集落をずーっと回っておられたというわい。

そうしたところが、毎年その集落を回っておられるのに、えらい集落の人が悲しんで、なんだか知らんけどもはっきりものを言われない。なんだか寂しげな、悲しげな気持ちをみんなが持っておられるようで、それで庄屋さんのとこへ行ったときに、

「なんと実は庄屋さん、集落を回って薬の入れ替えをさしてもらってここまで来ただども、なんでだい今までとは違った気持ちをわしゃ受けたども、いったい何ぞあっただかなぁ」と言ったら、庄屋さんが、

「なあ、薬屋さん、今までもずーっとあったことだども、この十二月の節季が近んなってくうと、毎年、悲しいことをこの集落はせないけん。ほんならわしがその話を言ってかしてあげえわ。まあ、今夜はまあ一つ雪の降うことだけん、泊まって、そげして、明日、次のほかのところへ行くてていうことにして、その荷物もおろいて、まあ、上がぁないや」てやなことになったげなわい。

それからその薬屋さんが庄屋さんに話を聞いたら、

「なんと薬屋さん。ここの氏神さんには毎年節季になると、娘さんを神社に捧げ祀らにゃいけんことになって、この界隈から一人ずつ神社に持って上がるということは、その娘さんが何だい分からんだあも何かが食ってしまって、さらって逃げてしまうだと。そいで今度はなあ、この集落のもうちょっこう下の方の、その家の娘さんが今年取られえていうことで。で、その娘さんが上がる日にちっていうのが、もう明日だか明後日だかいうことになっちょうけん、みんなが悲しんで何しちょうとこだわな」。

それからその薬屋さんは、

「何が出てきて、その娘さんを取って逃げえだか、何と庄屋さん、わしに一回見届けさしてもらえんだあか」と庄屋さんに頼んだら、

「いんやいんや、もう絶対にそのことはいけんだ。そうをほかのもんが見いとかいうことになあと、村中がその獣だか何だか分からんけども、もうえらい目こくけん、昼の明るいうちにその娘さんを連れて上がって、そいですぐ戻って来て、明くる朝間になあと、その娘さんがもうおらんようになっちょう。だけん、薬屋さん、そらいけんぞ」とこんこんと、庄屋さんが話したけれども、薬屋さんは、

「いんや、どげでも見届けちょかないけん」てっていうで、庄屋さんの家に泊まらしてもらったけども、その明くる晩、庄屋さんには内緒でその神社に娘さんが上がって来るそのときをちゃあーんと待っちょって、そげして神社の横しの薮の中へ身を隠して、何が出てくるだい分かないけれども、その娘さんを持って帰るそのもんを、見届けてやらねばならんと思って、その神社に上がったというわい。

　そうしたところが、雪がぱらぱらぱらぱら降って、寒い寒い晩だった。十二時が過ぎたら、山の上の方から何だか雪をかぶった大っきな大っきな化けもんみたいなもんが下りてきて、そ

うして娘さんを担ぎあげたその箱の側へまでずーっと寄ってきたいうわい。それでその薬屋さんは薮の蔭からちゃあーんと見ちょったが、もう大っけな化けもんだだけん、もう出えこともつかんし、逃げえこともつかん。そうしたらその化けもんが、その娘さんの入っている棺に近づいて、そうして蓋を開けて、娘さんの髪芯をつかまえて、ギャーアギャーアいう娘さんを山のまた上の方へまで連れて逃げたというがなあ。

さあ、その薬屋さんはその化けもんがまた下りて来ないだろうかと思って、恐れながらいつまでもいつまでもそこにおって、夜が白々と明けるようになって庄屋さんのところへとんで行って、

「何とこげこげな大けな化けもんだった」ということを庄屋さんに話したというわい。

その庄屋さんも初めてこの化けもんが、そんな大きなもんで目がぎょろんぎょろんしていて、口の裂けた手には大っけな大っけな爪がついていて、まあ、何かといっても分からん、人間どもを食うというがあれがウワバミというもんだったろうかなあ。それを薬屋さんが見たと言うので、庄屋さんも本当にびっくりして、

「まあそげな化けもんなら何とかせないけん、来年は家の娘だか、その隣の娘だかが、今度は番になっちょう」ということも聞いて、その薬屋さんも本当にびっくりして、

「ま、とにかく退治ちゃらなならん」という気持ちで、その庄屋さんところでその一晩は相談したっていうことだったたげなわい。

それから、その薬屋さんは庄屋さんに、

「わしはほんならまた来年のこの時期には、もういっぺんやって来て、今度は退治さしてもらいますけん、ほんとにわしも決心しておおとこだけん。いろいろどうもありがとうございまして、ほんならお達者で正月しなはいよ」と、その富山の薬屋さんはそのとき帰ったというわい。

それから一年たって、また薬屋さんが庄屋さんところに大きな薬箱を担いでやってきたてえわい。

「毎度ありがとうございます。また今年もよろしくお願いします」といってあちこちへも行き、またその化けもんに娘さんをあげる晩になったので、その晩には庄屋さんところにきちんと泊まって、

「退治すうなら娘さんを上げでもええけん、おまえが行きて退治てごせ」とだれもが言うけれども、

「えんや、そうはいけんけん、とにかく娘さんを神社へ上げちょいて、そげして化けもんが出てくうやつを、わが退治すうけん」と薬屋さんがいうものだから、村中の者がその娘さんを神

社のところまで担ぎ上げて、その神社のところに置いて戻ったというわい。

さあ、そうしたところが、夜中の一時、二時になってから、また、山の上の方から雪をかぶった大きな去年と同じ化けもんが出てきて、そして神社の方を見渡して、その娘さんの箱のところまで、ずーっとウワバミがそこまでやって来たというがな。

それから、その富山の薬屋さんも薮の蔭からちゃんと今か今かというところで、その化けもんが娘さんの入った蓋を開けて、そげしてもう手を娘さんの髪芯をつかもうと思っているときに、薬屋さんが唱えごとを言われたというわい。

越中富山の平内左衛門　しっけいけえこそ　きょうとけれ
ああ　テッカハーカ　テッカハーカ
越中富山の平内左衛門　しっけいけえこそ　きょうとけれ
ああ　テッカハーカ　テッカハーカ

こう二回言って、そうして懐の中の箱を手で撫でなさったところが、なんとその箱の中から飛び出てきた小さな小さな獣が、だんだんだんだんだんだんだんだん大きくなって、そうして今娘さんに手をかけているウワバミのところまでとんで行って、そうしてウワバミとその箱の前でたいへんな大喧嘩して格闘したというわい。

　向こうもウワバミだから一生懸命に食らいつく。こっちはなあ、どんなものだったかというと大きな大きな狐さんみたいな獣で、それでテッカハーカテッカハーカといって大きくなったやつだから、ウワバミやなんかいは、もうほんに屁の河童で、とうとうそのウワバミが傷つけられて娘さんにも手をつけずに、山の奥の方にとんで逃げてしまったので、その娘さんも連れて行かれることなしに、集落の人みんなににぎやかに迎えに来てもらったげないうわい。

「富山の薬屋さん、どうもありがとうございました。おまえはいったいどげして、その化けもんを退治したか言ってかしてごしぇ」とだいぶん言われたけれども、薬屋さんは、

「えんや、そうわなあ、わしがまた今度そげなことがありゃ、言ってかしてあげえだども、そうは内緒で話されんけん」と、懐の中へ入れたその小さな箱を、また薬箱の中へ入れて、そうして雪の降る道を、

「また、来年も頼みますけんなあ」てって、薬屋さんはまた富山の方になあ、とことことこ歩いて帰ってしまいなさったといや。

　その昔こーんぽち。

〈語り手　浦上金一さん・昭和3年生＝平成8年11月16日収録〉

解説

なかなか迫力満点。浦上さんはやはり語り方がみごとだ。関敬吾博士の『日本昔話大成』によれば、これは本格昔話の「愚かな動物」に次のように戸籍があるので紹介し、解説に替えたい。

二五六　猿神退治（cf．AT三〇〇）

1、(a)村の娘が人身御供にされる。(b)寺の和尚が代わるたびに殺される。または(c)小僧が殺される。2、旅人（侍）が社殿で、または神に祈願していて、だれかが「しっぺい太郎が怖い」といっているのを聞く。3、(a)旅人がしっぺい太郎（犬）を探して来て化け物（猫・鼠・貉）を退治する。または(b)旅人が娘の身代りになって退治する。

●野間義学『古今童謡』のこと

鳥取藩士であった野間義学は、江戸時代前期の元禄五年（一六九二）に生まれ、わずか四十二歳で亡くなっているが、この間に『弥事録』『因州記』『御家聞書』『御家之記』などを執筆している。中でも当時の子どもたちからわらべ歌を五〇曲ばかり記録した『古今童謡』は、今日まで脈々と歌い継がれていることが判っている。紙面の関係で一例だけ挙げておく。『古今童謡』の「お月さんなんぼ」の歌である、

お月さまなんぼ　十三七つ　七織り着せて　京の町に出いたれば
笄落とす　鼻紙落とす　笄　紺屋の拾う　鼻紙　花屋が拾う
泣けどもくれず　笑うてもくれず　なんぼ程な殿じゃ
油壺からひきだいたような　小男　小男

鳥取市福部町湯山生まれの浜戸こよさん（明治三十九年生）から昭和五十五年八月二十五日に収録した歌では次のようになっていた。

お月さんなんぼ　十三　七つ　七織り着せまして　京の町に出いたらば
鼻紙落とし　笄落とし　鼻紙　花屋の娘がちょいと出て拾うて
笄　紺屋の娘がちょいと出て拾うて　泣いてもくれず　笑うてもくれず　とうとうくれなんだ

約三〇〇年を経過しても、このように伝承されているのである。
詳しく知りたい方は、尾原昭夫・大嶋陽一・酒井董美共著『古今童謡を読む』(今井出版)をごらんいただきたい。

舌切り雀

舌切り雀

境港市朝日町

とんとん昔があったげな。

あるところにおじいさんとおばあさんとあって、毎日、おじいさんは山へ柴刈りに、おばあさんは川へ洗濯に行っていました。

そのおじいさんはね、一羽の雀を飼っていたの。一羽、雀をかわいがっていたんですよ。ほんとうにとてもだいじにしていたのですが、ある日のこと、おじいさんは山へ柴刈りに行ったんです。

その留守におばあさんが、洗濯物に糊をつけようと張り板を出して、

―さあ、これから糊つけしよう―と思ったところが、糊が空になっていたの。それは雀が知らん間に食べてしまっていたのです。おばあさんは糊つけをすることができんもんで、腹がたってたまりません。

「こりゃこりゃ雀、おまえが糊を食べたな」と言って、籠の中から雀を捕まえてねえ、鋏で口を開けて舌をちょきんと切ってしまったのです。

雀は泣きながら、パタパタパタパタパタ発って行って、遠いところへ行ってしまったんですよ。

そのようにして、おばあさんは腹をたてておったところへ、おじいさんが山から帰って来ました。おばあさんがおじいさんを見つけて、

「おじいさん、おじいさん、雀が糊をみんな食べてしまったでな、そいでわしは腹がたって、鋏でちょきーんと舌を切って逃がしてやったわいな」

それを聞いておじいさんは、空の籠を見て泣きながら、

「あーら、何て悲しいことをした。わしはじっとしておられん。これから捜しに行く」と言って、杖をついてねえ、雀のお宿を捜しに行ったんですよ。

舌切り雀　こーろころ　舌切り雀　こーろころ

と言って、腰を曲げながらずっと、先の方の竹薮へ出かけて行ったんです。そうしたら、竹薮の向こうの方から、

キーコや　バッタバタ　キーコや　バッタバタ
カランコ　トントン　カランコ　トントン
じいさんししがない　ばあさん管がない
カランコ　トントン　カランコ　トントン………

と機を織る音がするんですよ。

それから、おじいさんはたいへん喜んで、

―あ、ここに雀がおる―

「雀や雀」と言ったら、雀が喜んでぱたぱたぱたぱたと出てきて、

「おじいさん、こっちへおいで」て、家の中へ入れまして、そうしたら他のたくさんの雀がいるし、雀のお父さんやお母さんも大喜びで、

「ああ、おじいさんがおいでた」ということで、ご馳走をいっぱい並べて、歌ったり踊ったりしておじいさんを慰めてくれたんです。

そして、おじいさんは長いことご馳走になって、歌ってお酒やなんか呼ばれておったところ、

もう帰らないといけないことになって、

「名残惜しいけど、私は帰るから」と言いますもんですから、雀たちは、

「あら、おじいさん帰ったらいいけんて。もっとここで遊んでください」と言ったけれども、おじいさんが、

「さいなら、さいなら」て言うもんですから、

「それではお土産をあげよう」と言って、小さいのと大きいツヅラと持ってきて、

「おじいさん、お土産に持って帰ってください。小さいのと大きいのとあるが、どっちがいいか」

「私は年寄りだから、小さいのがいい」と言って、おじいさんは名残惜しかったけれどもツヅラを背負って、涙を流しながら帰っていかれました。雀たちはみんなで見送りをしてくれました。

おじいさんが杖をついて家に帰ったところ、おばあさんが、

「ああ、帰らさったかや、がいな土産がああだねえ」。そう言います。おじいさんは、

「どっこいしょ」と言って、玄関のところへもらった土産を置いて、そこのツヅラの蓋を開けたところめが、金や銀や珊瑚やいろいろな宝物ばかりか、お金も山ほど入っていたのです。おじいさんは喜びました。そしていっぺんに裕福になりました。

意地悪おばあさんは、それを見て、

―ああ、わしもひとつ雀を捜しに行こうかな―というところで、

舌切り雀　こーろころ　舌切り雀　こーろころ

と言って、その竹藪めがけて出かけて行きました。

「雀、雀」と言うと、雀たちは、

「意地の悪いおばあさんが来た」と言いましたが、けれどもお迎えせねばいけんので、

「こっちへおいで、おいで」とおばあさんを呼んで、ご馳走をまた出したそうです。

そうしたら、おばあさんはそこそこにして、

「早う帰るけん、お土産をください」。自分から言うものですから、雀さんは大きなツヅラと小さいツヅラとまた出して、

「おばあさん、お土産にツヅラをあげますから、どちらでも気に入ったのを取って帰って」と言ったら、おばあさんは喜んで、

「よしよし、わしはこの大きいのがいいわい」と、それを肩に担いで、重たいのをねえ、

「さいならー」して、とぼとぼとぼとぼと帰って行きました。そしてその土産が早く見たいのです。たーくさん宝物が入っているからと思って、まだ家に帰らんのに道端でね、それを下ろして、

「どっこいしょ」と開けてみたらねえ、蛇とか大きなひき蛙とか、お化けの入道やなんかこわいものがいろいろ出てきてねえ、おばあさんは腰を抜かしてしまいましたと。

ほんとに、いいおじいさんはよかったけども、悪いおばあさんはそんな目にあった、という話でしたよ。

こっぽり山の芋。

〔語り手　根平こうさん・明治44年生＝平成5年12月6日収録〕

解説

平成五年十二月、境港市朝日町にある根平こうさんのお宅を訪問してこの話はうかがった。根平さんは明治四十四年に境港市花町で生まれておられるから、もう八十を越えたご高齢であるが、いたってお元気でとてもそのような年齢には見えない。この話は兄嫁だった足立ますのさん（平成元年、九十四歳で亡くなる）から聞かれたものとのことだった。

また、この日いっしょに訪問したのは島根大学に留学しているアメリカ人留学生のアリータさんをはじめ、中国からの留学生の銭鋼さん、高倩藝さんのほかに、特別に毎日新聞社松江支局の元田禎記者、それに私の五人であった。

さて、ここらで関敬吾博士の『日本昔話大成』を引用して、その戸籍を眺めてみよう。有名な「舌切り雀」は「本格昔話」「隣の爺」の中に次のように整理されている。

一九一　舌切り雀（AT四八〇）

1、爺（婆）が飼っている雀が糊（のり）（団子・米）を食ったので、婆（爺）が舌（尻・鼻・耳）を切って逃がす。2、爺が探しに行く。(a)牛追いに雀の宿をたずねて牛の血を、(b)馬追いにたずねて馬の血をのむ。(c)野菜洗いに道をたずね、大根三本食って雀の宿を教えてもらう。3、雀に歓待されて葛篭（つづら）をもらって帰る。宝物が入っている。4、婆が雀の家を訪れて葛篭をもらってくるが、蛇・蛙が入っている。

根平さんの語りを基本パターンと比較してみると牛追いや馬追い、そして野菜洗いとのやり取りの部分が見られない。これは伝承されているうちにいつしか脱落していったものと思われる。同じ鳥取県でも倉吉市関金町明高や岩美郡岩美町田後、倉吉市尾田などの話には、野菜洗いまでは登場しないものの、牛追いとか馬追いはちゃんと出てくるのである。それはそれとして、根平さんの語りには、次の二つの歌がきっちりと入っている。まず、おじいさんが雀を訪ねるときの歌、

舌切り雀　こーろころ　舌切り雀　こーろころ

そして、雀たちのうたっている、

キーコや　バッタバタ　キーコや　バッタバタ
カランコ　トントン　カランコ　トントン
じいさんししがない　ばあさん管がない
カランコ　トントン　カランコ　トントン………

という歌である。

県下の同類の話にも歌の出てくる話はあるが、しかしながら、根平さんのこの語りには歌がとりわけ鮮やかに挿入されており、話の展開にみごとなアクセントを添えているのである。かつての聞き手の子どもたちは、恐らくこの歌とともに舌切り雀の話をしっかりと覚えていった

のではなかろうか。

なお、後の歌であるが、「瓜子織り姫」の中に瓜姫が機を織りながらうたうものとして、西伯郡南部町赤谷での語りは、

爺さんサイがない　婆さんクダがない

とあり、島根県下でも私は瓜姫の話で同様の歌を聞いている。そうして考えれば、歌は両者に共有されながら話が展開していったといえるわけで、こんなところに伝承の隠れたおもしろさを認めることができるのではなかろうか。

わらべ歌編

●「ねんねこさいのこ酒屋の子」の子守歌

筆者には収録を始めた頃（昭和三十五年五月九日）に聞いた忘れられない子守歌がある。歌ってくださったのは浜田市三隅町福浦の光円寺住職・佐々木誓信さん（明治二十五年生）からうかがったものである。解説は省略して詞章を挙げておく。

ねんねこさいのこ　酒屋の子　酒屋の丁稚が言うことにゃ　わしの弟の千松が　七つ八つから金山に
金を掘るやら死んだやら　一年たっても状が来ぬ　二年たっても状が来ぬ　三年三月で状が来て
状の文句を読んでみりゃ　みんなまめなか達者なか　わしもこのごろ金掘りで　雨の降る日も風の日も
日にち毎日穴の中　たまの休みのあるときにゃ　故郷の空を見てあれば　つんつん燕が飛んできて
先の燕も文持たず　中の燕も文持たず　一番後の子燕が　チュンチュクチュンチュク
言うことにゃ　おまえの恋しいかかさんは　去年の三月十四日　わずかな風邪が元となり
おまえのことを言いながら　とうとうあの世に行きました　おまえも早く出世して
国の土産にしやしゃんせ　土産の品は何々ぞ　金か衣装か田畑か　金はこの世の回りもの
百千万両あったとて　持ってあの世へ行かりゃせぬ　綾や錦の振り袖も　灰になったら一握り
田地　田畑　家　屋敷　人手に渡ることもある　これは浮世の宝物　幾千万劫経ったとて
変わらぬ宝はただ一つ　人は心が第一よ　心直ぐけりゃ身も直ぐい　心強けりゃ身も強い
また来年のこのごろにゃ　わしも元気でくるほどに　おまえの家を宿として　母の勤めを果たします
まずそれまでは　さようなら　さよなら　さよなら　チュンチュクチュン

なんとも哀愁を誘う、すばらしいメロディーであったのである。

こいしころらい

こいしこうらい

【動物の歌・松江市雑賀町】

こいし　こうらい　こなオンジョ来い
アブラやミタオンジョ　負けて逃げるオンジョ
恥じゃないかや

（歌い手　園山　正さん・大正3年生＝昭和36年8月26日収録）

うたってくださった方は、私の小中学校時代の恩師である。私が教師になって言語伝承を集めていることを知って、「自分が子ども時代にうたっていた」と教えてくださったのが、これであった。園山先生が物故されてすでに久しいが、私の録音テープの中には、今でも先生のこの元気のよいお声が残されている。

さて、オンジョであるが、これは普通のトンボより大きく、いわゆる「ヤンマ」といわれている種類を指す出雲方言である。そしてアブラは、ヤンマの雄の中でも羽が油色のものをいい、ミタは雌のヤンマをいっている。

私の世代では、小学校時代、この類の歌で竹などの先に糸を垂らし、それにおとりのオンジョを結びつけて、ゆっくりと振り回し、畑の間を走り回りながら、このオンジョを釣っていた。石村春荘著『山陰路のわらべ歌』（昭和42年・自刊）には、氏の父親である徳次郎氏から収集された、明治二十年ごろの歌として、次のように紹介されていた。

こういしくらい　こなおんじょくらい
あぶらや　めとうに　まけてにげるおんじょ
はじじゃ　ないかや

ところで、この歌について、私には忘れられない思い出がある。

昭和四十一年八月二十二日のこと。私は東京の民放ＮＥＴ局（現在のＴＢＳ）の全国ネットである「木島則夫モーニングショー」に、島根県鹿足郡柿木小学校の三名の女子児童と生出演してわらべ歌を放送したことがあった。この曲を彼女たちがうたい終わったとたん、プロデューサーが「懐かしい」と飛び込んできた。二十二歳の蒲生直人さんというその方は、松江市南田町に住んでいたことがあり、この歌をうたっていたのだという。ただ、蒲生さんの教えてくださった詞章は、次のようになっていた。

おおいしやー　このオンジョ来い
アブラやミトオンジョ　駆けて逃げるオンジョ
火事じゃないかよ

わらべ歌詞章の変化の法則を暗示させるような出来事と共に、知らぬ者同士を瞬時に親しく結びつけるわらべ歌のすばらしさを、このとき私は知ったのであった。

親ごに離れて

親ごに離れて

【手まり歌・安来市広瀬町西比田】

親ごに離れてはや七日（なぬか）
七日と思えば四十九日
四十九日参りをしょうと思て
おばさんのところへ　着るもの一反借りね来た
あるものないとて貸しぇだった
やれやれお腹が立ちなんど
奥の納戸に機（はた）たてて
今日も一反織りおろし
明日（あした）も一反織りおろし
下（しも）の紺屋（こうや）へ一反と
上（かみ）の紺屋へ一反と
染めください紺屋さん
染めてあげましょ何色に
肩にはシャッポ　裾（すそ）には柳の葉をつけて　葉をつけて

（歌い手　永井トヨノさん・明治23年生＝昭和47年4月26日収録）

この歌をうたわれた永井さんは結婚後、奥出雲町大呂にお住まいだったが、生地は安来市広瀬町西比田であるところから、そこで覚えられた歌なので、そうしておいた。

手まり歌には、内容にどきっとするものがときどきあるが、これもその一つであろう。

この歌の主人公は女性と思われる。物語の展開が、機織りや染め物にかかわりのある語句でなされているから、そのように考えるのが自然である。そして、内容は出だしからして親子離散の憂き目にあっていることが推定できる。「七日」は「初七日」のことかもしれず、また「四十九日参り」というのも、逝去後の四十九日法要を指しているような感じがする。そうして見ると、はっきりとは述べられてはいないが、「親に離れて」とあるのは、親と死別したことを暗示させているのであろう。

さて、この同類を捜してみると、仁多郡奥出雲町大呂から比較的近い飯石郡飯南町角井で聞いている。次に挙げておこう。

親に離れ子に離れ　殿御に離れて今日七日
七日と思えば四十九日　四十九日参りをしょうと思て
叔母のところに着り物借りにいったんだ　あるものないとて貸せだった
やれやれ腹立つ残念な　後ろの小庭に機たてて
今日も一反織りおろし　明日も一反織りおろし　東の紺屋へ一反と
西の紺屋へ一反と　染めてください紺屋さん　染めてあげます何色に
紺と紅との花色に　花色に（後長スエノさん・明治41年生。同町民谷出身）

細かい点で両者は多少の違いは見られるものの、大筋では同じである。それにしても手まり歌には、なぜか生活の厳しい状況を取り上げたものがよくある。どうしてこうした内容をうたっているものが多いのか、まだ、私にはその理由が分からないのである。

正月の神さん

正月の神さん

【歳事歌・松江市島根町多古】

正月の神さん　どこまでござった

大橋の下まで　破魔弓を腰に挿いて

羽子板を杖にして　えーいえとごっざった

（歌い手　小川シナさん・明治32年生＝昭和59年7月27日収録）

正月が近づくと子どもたちは、正月を擬人化したようなこのような歌をうたって、来るのを歓迎した。全国各地にこの類の歌は存在している。少し紹介しよう。

鳥取市用瀬町鹿子では、

正月さんはどーこ　どこ
万燈山の裾の方　白い箸にバボを挿いて
食いきり　食いきり　今日ござる（小林もよさん・明治30年生）

米子市大谷町では、

正月つぁん　正月つぁん　どこまでござった
勝田（かんだ）の山までござった　山百合　杖について　羽子板　腰にさし
栗の木箸に団子挿して　かぁぶり　かぁぶり　ござった（船越容子さん・昭和3年生）

もうすぐそこまで正月はやって来ている。自分たちの住むところへもすぐに来るのだ。そのような弾む心がこの歌からはうかがえる。しかも、その正月さんは、正月の象徴である土産を持って来てくれるのである。松江市島根町では破魔弓や羽子板を持って、また、鳥取市用瀬町では白い箸にバボ、すなわち餅を挿し、米子市大谷町では山百合の杖をつき、羽子板や栗の木箸に挿した団子を持って来てくれるのである。

　それではこれらの土産を持ってきてくれる「正月さん」とは何者であろうか。それはいうまでもなく、季節ごとに姿を変えてやって来、私たちが正しい生活を行っているかを点検し、心正しいものが困っていれば幸せを授け、怠け者がいればそれを戒めるために来る祖霊、すなわち先祖の神なのである。

うしろのどーん

うしろのどーん

【手まり歌・江津市桜江町川戸】

うしろのどーん　まえそのどーん
おおさか　おさかでどん
やすやでどーん
末まかせのお歯黒は　いくらです
五百です
もすこしまからんか　すからか　ほーい
おまえのことなら　負けとくに
ひー　ふー　みー　よー　いつ　むう　なな　やー　ここのつ　とお
山王のお猿さんは　赤いおべべが大(だい)お好き
ててさん　ててさん
よんべの恵比寿講(えべすこう)に　よばれて行って
鯛の浜焼き竹麦魚(ほうぼう)の煮付け
一杯すいましょう　二杯すいましょう
三杯目にゃ肴がないとて　お腹立て　お腹立て
はてな　はてな　はて　はて　はてな

（歌い手　米原シゲヲさん・大正2年生＝昭和46年8月18日収録）

「お歯黒」の出ている内容から見てかなり古めかしい歌であると想像できる。

明治二十七年発行の岡本昆石編『あづま流行時代子どもうた』には、この歌の後半部分が独立して手まり歌として出ているので、現在のかなづかいに直して紹介しておく。

山王のお猿様は　赤いおべべが大おお好き
ててしゃん　ててしゃん　昨夜恵比寿講によばれて
鯛の小女郎（小皿？）の　吸物　一杯おすすら　吸うすうら
二杯おすすら吸うら　三杯目には　名主の権兵衛さんが
肴がないとてごう腹立ぁち
はてな　はてな　はて　はて　はてな　まずまず一貫　おん貸し申した
千そっせ　万そっせ　おたたぁのたたのた

一見して同類であることが分かる。ここにうたわれている山王とは、神田祭りと共に江戸の二大祭りとして有名な江戸麹町日吉山王神社のことではないかといわれている。そして猿は山王権現の使いとして神聖視されているのである。

この同類は東京だけではなく、山形・神奈川・静岡・長野・新潟・富山・京都・大阪・宮崎などでもこれまでに収録されている。そのような伝承の過程の中で、ここ島根県の石見地方にも、いつしか根づいていたのであろう。中央で流行していた手まり歌が、どのような経路をたどって島根県の山間部で定着したのか、今となっては知る由もない。ラジオやテレビなどのなかった昔であったろうが、子どもたちの世界では、それなりに流行に敏感で、ちゃんと中央の歌を仕入れ、こうして手まり歌にしていたのである。

なお、前半部分も私は独立した形で、いくつか収録していることを記しておく。

びりがびっちょう

びりがびっちょう

【からかい歌・浜田市三隅町芦谷】

びりがびっちょう　泣いたげな
高津山へ聞こえて
松が三本倒れた　竹が三本倒れた

（歌い手　三浦又治さん・明治42年生＝昭和35年2月28日収録）

「びる」は石見方言で「泣く」の意味。「びり」はそれの名詞形であり「泣き虫」といったところだろうか。当地の別な歌では「びりがびっちょうびったげな」となっている。ここではその部分が「泣いたげな」と共通語化したもの。意味については前の歌と同様にしてお考えいただきたい。

この歌は友だちの秘密を知った仲間が、その子をひやかしてうたっていたという。各地に類似の歌がある。この中に庶民の素朴で古い民間信仰が隠されていることにも気をつけていただきたい。以下、それについて眺めてみよう。

まず、言霊(ことだま)信仰である。ことばには神が潜んでおられるから、良いことばを使えば良い結果が現れるが、よくないことばは、逆に悪い結果をもたらす。これが言霊信仰の基本である。「びりがびっちょう」は「泣き虫がわんわん(泣いたそうな)」であるから、決して良いことではない。当人にとっては人に知られたくない秘密で、それを知られたことは悪い言霊を発したことになる。

次に山の信仰である。山は多くの人間の住む平地とは違い神聖なところであり、神がお住まいになる場所である。この歌では高津山なるそこへ泣き虫の泣き声が聞こえた結果、その言霊の影響が出てくる。それは「松とか竹が三本倒れ」ることにつながる。これには宿り木信仰と聖数信仰が背景にある。

松や竹は神の宿る神聖な木とする信仰である。昔の人たちは、多くの樹木がすっかり落葉する冬にあっても、青々と葉をつけている松や竹に神秘を感じた。つまりこれには神が宿られるから葉が落ちないと考えた。正月に門松として家の前に松や竹の飾られる理由がここにある。

また「三」も神聖な数である。神にお供えするものを乗せる器を三宝といったり、人が社会人として認められる「七五三」なる帯直しの行事が、この地方では三歳に基本をおいて行われているが、そのようなところにも三の数の神聖さは証明される。そうして考えると「松が三本倒れた」「竹が三本倒れた」の意味の重大さが理解されるのではなかろうか。

つまり、本人にとって知られたくない、絶対に秘密にしたいことが、こともあろうに神のいらっしゃる神聖な山に聞こえ、神の宿り木の松や竹が、尊い数の三本ずつも倒れる結果をもたらすのであるから、本人の面目は丸つぶれということになる。

子どもの歌に秘められたこの奥の深さは、なかなかすごいものがある。この歌は当然のことながら、このような信仰が常識だった時代に生まれたと思われるのであるから、古い時代に作られたということが推定される。

蛍 蛍 こっち来い

蛍　蛍　こっち来い

【動物の歌・大田市川合町吉永】

蛍　蛍　こっち来い　ポッポ
あっちの水（みざぁ）　苦いけえ　こっちの水（みずぁ）　甘いけえ
こっち来い　ポッポ

（歌い手　酒本安吉さん・明治17年生＝昭和36年7月26日収録）

全国的なのは、「ほーほー蛍来い」で始まり、「こっちの水は甘いぞ……」までと最後は再び「ほーほー蛍来い」で収めるスタイルであろう。

ところが、この歌はやや独特である。いろいろな地方を言語伝承を求めて歩いていて、このように独自な伝承に出会うと、何か宝物でも見つけたような喜びを覚える。

さて、それでは類歌の特徴あるものを紹介しよう。まず鳥取県のものから。鳥取市佐治村尾際では、

ほ　ほ　蛍来い　蛍来い　小さな提灯さげて来い
ほ　ほ　蛍来い　蛍来い
あっちの水は苦いぞ　こっちの水は甘いぞ
ほ　ほ　蛍来い　蛍来い（福安初子さん・大正4年生）

「小さな提灯さげて来い」と蛍の明かりのたとえに特徴がある。

東伯郡湯梨浜町原では、

蛍来い　山道来い
ランプの光で　みんな来い（尾崎すゑさん・明治32年生）

短く引き締まった詞章に特色がある。次に島根県のもの。江津市桜江町渡で、

ほー　ほー　蛍来い
あっちの水ぁ苦いぞ　こっちの水ぁ甘いぞ
貝殻持てこいブウ飲ましょ（門田ヤスエさん・大正8年生）

「貝殻持てこいブウ飲ましょ」は素朴であろう。
この大田市のものの「……ポッポ」がおもしろい。

トンボトンボ

トンボ　トンボ

【動物の歌・隠岐郡海士町御波】

トンボ　トンボ　カメガラやるぞ

（歌い手　浜谷包房さん・昭和3年生＝昭和48年6月16日収録）

男の子どもたちにとって特に親しいトンボの歌は意外と少ない。松江市美保関町七類で、次の歌があった。

オンジョ来い
男オンジョや
女房（にょうば）オンジョや
つかしょば来い　来い（森脇キクさん・明治39生）

しかし、これ以外にオンジョをうたった歌は、今のところ私はまだ出会っていない。
鳥取県での収録は、八頭郡若桜町大野でトンボを捕る歌として次の歌を見つけた。

トンボ　トンボ　とまれ
この指　とまれ（兵頭ゆきえさん・大正5年生）

ともかく、トンボ捕りの歌は意外に少ないようである。

●勤務地の思い出

大学を終えて教職の道に進んだ筆者であった。初任校が那賀郡三隅町立三隅中学校。平成の大合併で現在は浜田市になっている。自宅のある松江市の出雲地方とは違いここは石見地方である。人々の気質も出雲とはがらりと変わり、はっきりと物を言い、竹を割ったような気性の人が多い。筆者にはその気性が気に入った。

たまたま汽車の中ででも読もうと買った本が、石塚隆俊・岡義重・小汀松之進共編『出雲の民話』(未来社刊)だった。そこには弁慶伝説があり、神話である八岐大蛇や少彦名命(すくなびこなのみこと)、昔話として炭焼長者や三人小僧などが並んでおり、民話とはこんなにおもしろいものかと開眼させられた。そこでテープレコーダーを購入し、口承文芸収録を開始したのが、その後の筆者の道を決定した。やがて石見の奥地ではどうなっているだろうかと希望して鹿足郡柿木村立柿木中学校(現在は吉賀町)に異動。両校に五年ずつ、都合十年を石見で過ごし、出雲地方の仁多郡横田町立鳥上中学校(現在の奥出雲町。学校は横田中学校に吸収されていまはない)に変わったのであった。ここは口承文芸の宝庫ともいうべき地だった。六年をここで過ごし、離島の隠岐郡海士町立海士中学校、県立隠岐島前高校では郷土部を作って隠岐の口承文芸収集に努力したのは別項で述べたとおりである。昭和五十三年度の異動で松江市立女子高校へ移り、四年後、県立松江工業高校定時制へ替わったが、休日には鳥取県内を回り、民話やわらべ歌を収集することが出来たのはありがたかった。

平成二年から定年まで島根大学。同十二年からは鳥取短期大学に勤めた。非常勤講師としては平成五年から二十六年間、島根県立短期大学で口承文芸を講じたのも楽しかったし、集中講義で高知大学へ五度出かけたのも嬉しかった。ここでは留学生に日本の民話を講義するよう要請されてのことだった。

教職の勤務は以上のようである。それ以降、出雲かんべの里民話館に勤務したのを最後に定職には就かず、山陰両県の民話語りグループの育成や、口承文芸の著述に励んでいるのである。

レンゲつむか花つむか

レンゲつむか　花つむか

【鬼ごっこの歌・隠岐郡隠岐の島町中町】

レンゲつむか　花つむか
今年のレンゲはよう咲いた
捨てておくより　つんだほうがましじゃ
耳輪じゃスッポンボン
耳輪じゃスッポンボン
※わしもネンジ（「仲間」のこと）にしてください
あなたのお国はどこですか
※信州信濃の山の中
あなたの御飯はなんですか
※あずきめし
あなたのおかずはなんですか
※蛇の黒焼き（※印の行は鬼が歌う）

（歌い手　渡辺のぶ子さん・大正14年生＝昭和47年7月23日収録）

渡辺さんからわざわざお便りをいただいたが、その中にこの歌があったのでご紹介する。

　これはつかまえ鬼の遊びを行う際、その前奏曲として歌われる。

　まず、鬼以外の子どもたちが大勢輪になり、両隣同士で手のひらをたたきあいながら「レンゲつむか花つむか」から「つんだ方がましじゃ」までを合唱する。「耳輪じゃ」では手を耳のところでクルッとまわし、「スッポンポン」で手をたたく。これで序曲は終わり、こんどはぐっと趣好が変わって、鬼とみんなのかけあいの形で歌は続けられる。そして「あなたのおかずはなんですか」のところでは、すでに子どもたちは半ば逃げ腰になり、鬼が「蛇の黒焼き」と答えたのを合図に四散し、鬼ごっこが始まるのである。やがて鬼はだれかをつかまえると、こんどは交代してその子が鬼になり、この遊びはくり返される。

　渡辺さんのお便りでは鬼の位置については触れられていなかったが、同類から察してうたっているときは輪の中央にいるのではないかと考えられる。

　それにしても、なかなか工夫をこらした遊びである。内容を分析すると、

①斉唱（手あそび）─┐
②メドレー ─────┘歌
③鬼ごっこ ───── 遊び

以上の三段階になる。まるで子どもたちの興奮した息づかいが、つい身近に聞こえてきそうな気さえするではないか。

　なお「ネンジ」なる語は「なかま」の意味。石見地方では「なかまに加わる」ことを「ニンズウ（人数）になる」といっているが、ネンジはこのニンズウのなまったものであろう。

ところで、隠岐のこの歌と同類の一つを筆者も大田市三瓶町池の原で以前に収録していたので、ここに紹介しておく。

①セッセッセ　バラリコセ
今年のボタンは　よいボタン
お耳を回して　スッチャンチャン
もひとつ回して　スッチャンチャン
※遊ばうや
やぁだ
※なして
なしても
※ミカンあげるけえ
ミカン坊主がおるけえやぁだ
※ナシあげるけえ
ナシ坊主がおるけえやぁだ
※フンならうちの前を通ると　箒でぶちまくるよ
フンならよしたげらあ

②セッセッセ　バラリコセ

今年のボタンは　よいボタン
お耳を回して
スッチャンチャン
もひとつ回して
スッチャンチャン
※帰るよ
なして
※なしても　ハアこはんだけえ
ばんのおかず　なんだ
※へびとマムシ
ワァーツ
（歓声をあけてみんなは逃げ、鬼ごっことなる。※は鬼になった子が歌う）
（石橋みゆきさん・9歳ほか・昭和36年収録）

この大田市のになると少し複雑になり、ひとまず鬼を仲間に入れて遊び、次いで②の歌の結論として鬼がおかずの正体をあかした後、初めて鬼ごっことなるのである。つまり①では鬼に対して何らかの異和感を覚えて最初は仲間に入れないのであるが、ついに正体を隠した鬼の懇願に負けてしぶしぶ仲間に入れる。しかし、最後で正体を知ったとたん、仲間意識は消しとんで、鬼は異なった世界の恐ろしい者という評価に変わり、子どもたちは逃げてしまうのである。

隠岐のももちろんこれと同じモチーフである。

さて、それでは異和感を抱かせる鬼の正体は何者だろうか。特に石見地方で「鬼ごっこ」を「鬼ゴト」と今でも子どもたちが呼んでいる点と考え合わせるとき、「鬼コト」の「ゴト」が、聖なる儀式を意味する「神ゴト」の「コト」に通ずるものを感じ、かつての民間信仰上、祖霊の化身の零落した姿を鬼に求める飛躍をあえて承認したい気持ちが筆者には強く働くのであるが、これについてはスペースの関係で説明の舌たらずに終わるのがいかにも残念である。

正月つぁん正月つぁん

正月つぁん　正月つぁん

【歳事歌・隠岐郡西ノ島町三度】

正月つぁん　正月つぁん　どこからおいでた
三度（みたべ）の浜からおいでた
重箱に餅入れ　徳利に酒入れ
トックリトックリござった

（歌い手　萬田半次郎さん・明治18年生＝昭和48年12月8日収録）

まもなく正月がやってくる。その正月が近づくと子供たちは、正月を擬人化したようなこのような歌をうたって、来るのを歓迎した。ここに挙げたのは島根県西ノ島町での歌であるが、全国各地にこの類の歌は存在している。少し紹介しよう。

松江市島根町多古（たこ）では、

正月の神さん　どこまでござった
大橋の下まで
破魔弓を腰に挿いて　羽子板を杖にして
えーいえとごっざった（小川シナさん・明治32年生）

鳥取市用瀬町鹿子では、

正月さんはどーこ　どこ
万燈山の裾の方
白い箸にバボを挿いて
食いきり　食いきり　今日ござる（小林もよさん・明治30年生）

米子市大谷町では、

正月つぁん　正月つぁん　どこまでござった
勝田（かんだ）の山までござった
山百合　杖について　羽子板　腰にさし　栗の木箸に団子挿して
かぁぶり　かぁぶり　ござった（船越容子さん・昭和3年生）

もうすぐそこまで正月はやって来ている。自分たちの住むところへもすぐに来るのだ。そのような弾む心がこの歌からはうかがえる。しかも、その正月さんは、正月の象徴である土産を持って来てくれるのである。隠岐の歌では重箱に入った餅や徳利に酒を入れ、島根町では破魔弓や羽子板を持って、また、用瀬町では白い箸にバボ、すなわち餅を挿し、米子市では山百合の杖をつき、羽子板や栗の木箸に挿した団子を持って来てくれるのである。

それではこれらの土産を持ってきてくれる「正月さん」とは何者であろうか。それはいうまでもなく、季節ごとに姿を変えてやって来、私たちが正しい生活を行っているかを点検し、心正しいものが困っていれば幸せを授け、怠け者がいればそれを戒めるために来る祖霊、すなわち先祖の神なのである。

なお、最初の歌では、「正月つぁん」は三度の浜から来臨されるようにうたわれているが、隠岐の島前地区（中ノ島・西ノ島・知夫里島の三島をいう）では、どの島で聞いてもいずれも同じであった。ここは西ノ島町にある地区名であるが、昔からあまり人々が訪れることの少ない土地であり、そこから神の上陸する聖地として認められたものと思われるのである。

山の奥のハマグリと

山の奥のハマグリと

【ことば遊び歌・鳥取市佐治町尾際】

山の奥の蛤(はまぐり)と　海の底の勝ち栗と

水で焚いて　火でこねて

あしたにつけたら　今日治る　ああおかし

（歌い手　福安初子さん・大正4年生＝昭和62年8月24日）

現実にはあり得ない内容をうたって楽しんでいた、かつての子どもたちの姿が想像できる。日本人の歌としては珍しくユーモアがある。東北地方では同類が早物語とかテンポ物語などと称され、早口で語る語り物として存在している。

また、江戸時代には井原西鶴の『世間胸算用』巻四、第三話「亭主の入替り」の最初、乗合船の様子を述べているが、そこで「不断の下り船には世間の色ばなし・小唄・浄瑠璃・はや物語……」とあり、ここからも当時流行していた民間文芸であったことが推定される。

ここで『日本歌謡集成』（巻十二）にある三重県名賀郡の雑謡を紹介しておこう。

西行法師という人は、始めて関東へ上るとき、のぼるがうそぢゃ下るとき、水なし川を渡るとき、こんにゃくせ骨であしついて、豆腐の奴(やっこ)でのどやいて、どこぞこゝらに薬がないかと尋ねたら、尋ぬれやない事はござんせん。山口はいたるなまわかめ、畑ですまひする蛤が、海にあがりし松茸と、夏ふる雪を手にとりて、水であぶりて火でねりて、あしたつけたら今日なほる。

この後半部分と、佐治町の歌を比較してみると、やはりどこか関連を感じさせる。そうして見ると、このような早物語が、山陰では一つは子どもの「ことば遊び歌」という形で定着していると考えてよいようである。

ところで、私は島根県隠岐郡隠岐の島町益見で「相撲取り節」として以前収録したのが、ちょうど今回の歌に関連していた。つまり、鳥取県ではわらべ歌となっているのが、島根県では大人の民謡である「相撲取り節」として、その命脈を保っているのである。次に紹介してみよう。

寺の坊主が　修行に回る
水ない川を　渡るとき
クラゲの骨をば　足に立て
コンニャク小骨を　喉に立て
豆腐の小角で　目鼻打ち
これに薬は　ないかいと
そこ通る娘に問うたなら
このまた娘が　ちゃれたやつ
これに薬はいろいろと　千里奥山蛤と
海に生えたる松茸と　水のおく焼きして　延べて
明日(あした)つければ　今日治る（井奥ちやうさん・明治41年生）

これはまたさきほどの三重県の雑謡とそっくりである。そして鳥取市佐治町の「ことば遊び歌」の後半部分ともまた関連のあることは説明するまでもなかろう。

このようにして庶民の世界においては、いろいろな種類の歌に姿を変えながら、伝承歌は命を永らえ続けているのである。

お月さんなんぼ

お月さんなんぼ

【子守歌・鳥取市福部町湯山】

お月さんなんぼ　十三ななつ
七織り着せまして　京の町に出いたらば
鼻紙落とし　笄(こうがい)落とし
鼻紙　花屋の娘が　ちょいと出て拾って
笄　紺屋の娘が　ちょいと出て拾って
泣いてもくれず　笑ってもくれず
とうとうくれなんだ

（歌い手　浜戸こよさん・明治39年生＝昭和55年8月25日収録）

月を見てうたう歌。鳥取県でもこの類の歌はかなり見つかったが、いろいろな形に変化しているところが特徴といえる。この歌は県内では東部に限られた型のようである。兵庫県三方郡浜坂出身の方からもうかがっているので、京都までもよく似た形で伝えられていることが分かっている（柳原書店・高橋美智子著『京都のわらべ歌』所収）。

また江戸時代前期、元禄文化盛んな頃に生まれた鳥取藩士の野間義学（一六九二〜一七三二）は、因幡地方で歌われていたわらべ歌五〇曲を筆録した『古今童謡』を残している。ちなみにこの本は世界最古のわらべ歌集となっているが、ここにも以下のように載せられている。

お月さまなんぼ　十三七つ
七織り着せて　京の町に出いたれば
笄（こうがい）　落とす　鼻紙落とす
笄　紺屋の拾う　鼻紙　花屋が拾う
泣けどもくれず　笑うてもくれず
なんぼ程な殿じや　油壺からひきだいたような
小男　小男

ところが、伯耆になると「七織り着せて」の形は影を潜め「尾のない鳥」に変わっていく。西伯郡大山町国信では、

お月さんなんぼ　十三ここのつ
そりゃまんだ若い
若もござらぬ　いにとうござる
いなはる道で　尾のない鳥が
油筒ぞろぞろ飲んで　よい子を生んで
お万に抱かしょか　お千に抱かしょか
お万は油屋の門で　滑って転んで
徳利投げた（谷尾トミコさん・明治44年生）

県境を越えた松江市にもそれは続いている。松江市生馬町の例を挙げる。

お月さんなんぼ　十三ここのつ
そりゃまんだ若いの
若うもござらぬ　いにとうござる
いぬたかいなされ　いなさる道で
尾のない鳥が　油筒くわえて
あっちの方へホキホキ
こっちの方へホキホキ（和田繁八さん・明治15年生）

鳥取県西部から島根県出雲地方にかけては「尾のない鳥」「油筒」などの語句が共通しているのである。

●民話語り手としての心構え

祖父母から聞き伝えた民話を語るのは伝承の語り手と呼ぶが、そのような人々は現在では少なくなってしまい、民話グループに属する大半の語り手は、本から覚えた民話を語る「書承の語り手」だろう。そのことを念頭に置きながら、よりよい語りとは何かを簡単に述べておきたい。

①本に書かれたままを語る必要はない。

筋書きはそのままで、相手に応じてやさしく言い換えることも必要である。同じ話でも幼稚園児と小学校高学年、あるいはお年寄りでは口調や説明など変化するのは自然である。

②相手の目を見て語る。

「目は口ほどに物を言い」である。相手の心を読みながら語れば、臨機応変に話の対応が可能であり、聞き手の期待感などが分かり、良い語りに繋がる。そのためにはきちんと相手の目を見つめて語ることが必要である。

③方言の扱い。

わたしたちの文化は、その地方の人々によって育(はぐく)まれ、発展してきた。つまり方言によって支えられてきたのである。そのような方言は重要であり、出来る限り大切にしたい。けれども強い方言は他地方出身の聞き手に理解されない場合もある。そこで会話の部分は出来るだけ方言を生かして語り、地の部分〈説明の場所〉は共通語に置き換えて語るように努めたらよいと思われる。

④感情をこめて語る。

自分が面白いと思って語れば、自然に感情移入してくる。それは語り手として当然なことだと思われる。

⑤出典を明確に述べること。

語り終えた後でよいので、その語りの話の所在（掲載されている本の名、つまり出典）を紹介してほしい。そうすることが、本の著者や原話を語った方（伝承者）に対するエチケットでもある。

一つとせ
燭に笈づる

一つとせ　燭に笈づる

【手まり歌・八頭郡智頭町宇波】

一つとせ
燭(しょく)に笈(おい)づる杖に笠
巡礼姿で父母を
尋にょうかいなあ

二つとせ
補陀落(ふだらく)うつ　憎まれぬ
松さんお呼ばれ　音高く
響こうかいなあ

三つとせ
見る間にお弓が　立ち上がる
小盆に精米(しらげ)の志
進じょうかいなあ

四つとせ
よもよも巡礼なさんすな
定めしお連れは　親御たち
かわいいわいなあ

五つとせ
いえいえ私は　一人旅
父(とと)さん　母(かか)さん　顔知らず
会いたいわいなあ

六つとせ
無理に押しやる　返しやる
少々ばかりの餞(はなむけ)を
進じょうかいなあ

七つとせ
泣く子を抱いたり　すかいたり
たらかせ　去(い)なせる親心
かわいいわいなあ

八つとせ
山坂海越え川をみり
ここまで訪ねて　来たものに
会われんかいなあ

九つせ
九つばかりの巡礼が
十呂兵衛館の門口を
入ろうかいなあ

十とせ
十にもなったか　これお鶴
わが子と知ったら　殺しゃせぬ
かわいいわいなあ

（歌い手　寺坂ときさん・明治30年生＝昭和62年8月18日収録）

昔の手まり歌には、有名な浄瑠璃の演題に題材を取ったものがときおり見られる。伊達騒動を題材とした「千松くどき」の「うちのお背戸の茶々の木に」で始まる手まり歌もそうであったが、この手まり歌もそのような一つで、江戸時代に書かれた十段物「傾城阿波の鳴門」がテーマとなっている。

原作は江戸時代前期、近松門左衛門の「夕霧阿波鳴門」であり、浄瑠璃はそれを翻案したもの。明和五年（一七六八）六月より竹本座初演であったとされている。

それは阿波徳島の玉木家の宝刀国次が紛失したのを捜すため、浪人となった十郎兵衛が女房お弓と共に賊徒に姿を変え、藤屋伊左衛門たちの尽力で、悪臣小野田郡兵衛の陰謀を暴く筋書きであるが、中でも八段目が名高い。

ここではお弓がはるばる訪ねてきた巡礼姿のわが子お鶴に対し、親子の名乗りをせずに帰し、思い直して後を追ったのではあるが、すでにそのときには十郎兵衛が誤って、わが子を殺してしまっていたのである。

ここのところがこの手まり歌の中心になっている。詞章の意味不明なところは聞いたまま文字化したからである。

私は同類を岩美郡岩美町や鳥取市青谷町でも聞いたが、島根県では、まだ収録を果たしていない。しかし、今となってはもうその伝承者を見つけることは困難になってしまった。

●内助の功

筆者が口承文芸の収録研究を始めたのは、昭和三十五年（一九六〇）一月からだったので、半世紀余りになる。中学校や高校に勤務しながら録音機を持って、各地の古老を訪問した最初は自転車で、まもなくバイクで出かけたものである。昭和三十七年になると軽自動車になったが、当時、マイカーを持った教員はいなかったようなので、案外マイカーを持ったのは島根県の教員の中では筆者は最初ではなかったか、と今でも半ば本気で思っている。

それはともかく、民話、わらべ歌、労作民謡などは土器や建築物、絵画や彫刻とは異なり形はないが、祖先から伝承された貴重な無形民俗文化財である。その価値を認識した者が収録していかなければ、これらの文化遺産は永久に陽の目を見ることなく消滅してしまう。このように考え、土曜や日曜、あるいは祝祭日などの休日には、家族サービスはほとんどせず、山陰両県の各地を中心に収録に飛び回っていた筆者であった。

考えれば、わが家には普通の家庭であるような団らんは、ついぞしなかったような気がする。普通の父親のように家族でどこかへ出かけるというようなことをほとんどしていない点で、筆者には反省することばかりであるが、「後の後悔先に立たず」である。

そのような筆者に対して愚痴も言わず、妻の隆美は献身的によく支えてくれたものだと感謝している。いわゆる内助の功というものである。子どもを育てながら、筆者が収録してきた録音テープを、頼んでおけばテープレコーダーを回し、話や歌を文字化する作業をしてくれたものである。今でもそのときのノートを見るたび、心の中で礼を言っているのである。妻が亡くなって二十年になるが、感謝の念は今も変わらない。

多くの資料はこうして発表ができたのである。研究者の家庭では多くは似たような状況にあるのではないかと考える筆者ではある。

そういった意味で、この書物は真っ先に亡き隆美に捧げなくてはならないと考えている。

一つとせ
人も通らぬ山道を

一つとせ　人も通らぬ山道を

【手まり歌・東伯郡琴浦町高岡】

一つとせ人も通らぬ山道を
おさよと源兵衛が　通たげな
通たげな
二つとせ二股大根は　離れても
おさよと源兵衛は　離りゃせの
のう　源兵衛さん
三つとせ見れば　見るほどよい男
おさよが惚れたも　無理はない
のう　源兵衛さん
四つとせ用のない街道　二度三度
おさよが見たさに　逢いたさに
のう　源兵衛さん
五つとせいつも　流行らぬかんざしを
おさよに挿させて　姿見る
のう　源兵衛さん

六つとせ無理に締めたる腹帯を
緩めてください源兵衛さん
のう　源兵衛さん
七つとせ何も言いまい　語るまい
おさよが見たさに　逢いたさに
のう　源兵衛さん
八つとせ焼けた屋敷に　小屋建てて
おさよと　源兵衛さんが　所帯とる
のう　源兵衛さん
九つとせ　ここで添われにゃどこで添う
極楽浄土の道で添う
のう　源兵衛さん
十とせ遠いところに　行かいにも
さい前さんの　肌に添う
のう　源兵衛さん

（歌い手　高力みや子さん・明治36年生＝昭和56年10月12日収録）

高齢の方からしか聞けない歌である。
中には、倍の二十番までのものもあった。八頭郡智頭町波多のものを十一番から紹介する。

十一せ　十一せ
　いちいち私が　悪かった
こらえてください　源兵衛さんの
源兵衛さん
十二とせ　十二とせ
十二薬師に願掛けて　おさよの病気が
治るよにの　治るよに
十三せ　十三せ
十三桜は山桜　おさよと源兵衛は
色桜の　色桜
十四とせ　十四とせ
死出の山辺は針の山　手に手を取って
二人連れの　二人連れ
十五とせ　十五とせ
十五夜お月さんは　夜に余る
おさよと源兵衛は　目に余るの　目に余る

十六せ　十六せ
十六ムサシを　指すときにゃ
教えてくだされ
源兵衛さんの　源兵衛さん
十七せ　十七せ
質に置いたる帷子（かたびら）を　請（う）けてくだされ
源兵衛さんの　源兵衛さん
十八せ　十八せ
十八蠍（さそり）は　垣をはう　おさよと源兵衛は
ねやをはうの　ねやをはう
十九とせ　十九とせ
十九嫁入りは　まだ早い
せめて二十歳（はたち）か　二十一か
二十（はたち）とせ　二十とせ
機（はた）もだんだん　縞機を
これこそ　源兵衛さんの
夏羽織の　夏羽織（大原寿美子さん・明治40年生）

カラス　カラス

勘三郎

カラス　カラス　勘三郎

【動物の歌・東伯郡北栄町米里】

カラス　カラス　勘三郎

親の恩を忘れるな

（歌い手　山本鶴子さん・明治28年生＝昭和58年6月18日収録）

子どもたちにとってカラスは昔から親しまれていたのだろう。類歌はたいていの地域で聞くことができる。
夕焼け空を、ねぐらを目指して飛ぶカラスたちをうたった類の歌である。
今から三〇〇年前に出た世界最古のわらべ歌集である鳥取藩士、野間義学の書いた『古今童謡』にも次の歌がある。

からす　からす　かめんじよ
おばか家か焼けるやら空のはらが赤いぞ
早う行って水かけ　水かけ

事例を少し挙げておこう。鳥取市河原町国英山手の歌。

カラス　カラス　勘三郎
オジの家が焼けよるぞ
早ういんで　水をかけ　肥をかけ
ホーイ　ホイ（蓮仏利志子さん・明治35年生）

八頭郡若桜町大野の歌。

カラス　カラス　勘三郎
あっちの山は火事だ
生まれたとこを　忘れんな（兵頭ゆきえさん・大正5年生）

稲村謙一編著『鳥取のわらべ唄』の中に昭和十二年九月発行の『汗入史綱』（鳥取県西伯郡教育会第五教育組合国史研究部編集、謄写印刷）の歌が紹介され、そこにもカラスの歌が出ている。少し変わったものを紹介しておく。岩田勝市氏収録の歌。

あとのかァらす　さァきになれ
先のかァらす　あァとになれ（明治中葉採録）

一　わとかわせ　わしゃ石割らん

一わとかわせ　わしゃ石割らん

【手遊び歌・東伯郡湯梨浜町原】

一わとかわせ　わしゃ石割らん
石屋衆こそ　石割るものよ
二わとかわせ　わしゃ庭掃（は）かん
女子（おなご）衆こそ　庭掃くものよ
三わとかわせ　わしゃ鯖（さば）売らん
商人（あきんど）衆こそ　鯖売るものよ
四わとかわせ　わしゃ皺（しわ）よらん
年寄り衆こそ　皺よるものよ
五わとかわせ　わしゃ碁（ご）は打たん
旦那衆こそ　碁を打つものよ

六わとかわせ　わしゃ櫓（ろ）はこがん
船頭衆こそ　櫓はこぐものよ
七わとかわせ　わしゃ質置かん
貧乏人こそ　質置くものよ
八わとかわせ　わしゃ針持たん
女子衆こそ　針持つものよ
九わとかわせ　わしゃ鍬（くわ）持たん
百姓衆こそ　鍬持つものよ
十ぱとかわせ　わしゃ字は書かん
手習い衆こそ　字は書くものよ

（歌い手　藤井　節さん・明治38年生＝昭和56年8月26日収録）

数え歌形式になっているこの歌は、かつての子どもたちに好まれたらしく、各地の古老からたいてい聞くことができる。私も山陰地方のあちこちで、随分聞かされたものである。

一応、「手遊び歌」として分類はしておいたが、遊び方は、詞章に合わせてその動作をするだけのことであり、手遊びというよりは、身体全体を使って、それぞれの主人公の真似をしながら数人で合唱のようにしてうたわれる。

この歌は少なくとも江戸時代までは遡ることができるようで、西沢一鳳（一八〇二〜一八五二）の著した『皇都午睡』の中に次の類歌が収められている。

一置（イチオイ）いてまわりや、コチヤ市立（たて）ぬ、
天満なりやこそ　市立まする。
二置てまわりや、コチヤ庭はかぬ、
丁稚なりやこそ　庭掃まする、
三置てまわりや、コチヤ三味弾ぬ、
芸子なりやこそ　三昧ひきまする、
四置てまわりや、コチヤ皺よらぬ、
としよりなりやこそ　皺よりまする、
五置てまわりや、コチヤ碁はうたぬ、
能衆なりやこそ　碁を打まする、
六置て廻りや、コチヤ艪はおさぬ、

船頭なりやこそ　艪をおしまする、
七置て廻りや、こちや質置ぬ、
貧乏なりやこそ　質置きまする、
八置てまわりや、コチヤ鉢わらぬ、
麁相(そそう)なりやこそ　鉢破ますする（以下略）

比較してみると、一目瞭然。両者が親族関係にあることは異論のないところであろう。江戸時代後期に生きた著者は、大阪の人であるから、当時から関西地方で盛んにうたわれていたことがよく分かる。

うちの隣の赤猫が

うちの隣の赤猫が

【手まり歌・米子市富益町】

うちの隣の赤猫が　牡丹(ぼたん)しぼりの着物着て
足袋(たび)屋の暖簾(のれん)に腰掛けて
もうしテッさん　足袋一足おくれんか
猫さんの履(は)く足袋　どんな足袋
金襴緞子(きんらんどんす)のネズミ色
猫さんが履いたらよい女房　あらよい女房

（伝承者　松下ゆきこさん・明治35年生＝昭和56年10月25日収録）

猫が主人公になったわらべ歌は珍しい。これまでに鳥取県ではいくつか見つかったが、島根県ではまだ聞いていない。

さて、この歌では、猫はなかなかおしゃれである。「牡丹しぼりの着物」を着て「足袋屋の暖簾に腰掛けて」というのであるから。

ところで、この牡丹絞りの着物とは、おそらく鮮やかな赤紫色で、まだらに染めて着物に仕立てたものをいっているのであろう。そして主人公の猫は、足袋屋の暖簾に腰を掛けているという、ちょっと粋で姐御（あねご）さん風な身のこなしを示している。そして「もうしテッさん、足袋一足おくれんか」という言葉遣いも、どこか芸者風な感じがするようだ。

そして最後に注文した足袋の色が「ネズミ色」というのであるから、ご愛敬である。猫とネズミは、昔から仇同士といったことで、私たちは認識しており、ここで一度にユーモラスな気分にさせられてしまう。

要するに猫の動作を観察すると、やわらかい身のこなしが、このような芸者風な女性のイメージに通じるところをうたっているのであろう。

そうして考えると、これは観察の緻密さから生まれた手まり歌といえるのではあるまいか。

さて、この歌を凝縮したような次のような手まり歌が、東伯郡北栄町に存在していた。

猫が呉服屋に　足袋買いござる
足袋は何文　何の色
にゃにゃ文半のネズミ色（乗本かなえさん・昭和6年生）

足袋の大きさを示す文数を問うと、猫の「にゃぁ」という鳴き声を擬して「七文半」と答えることにしているところにユーモアがこめられている。また好みの色は、米子市の歌と同じくネズミ色なのである。

ところで、終わりに猫を素材にしているが、更に簡単なものを紹介しておこう。これは米子市熊党で見つけたものである。

猫ちゃん　猫ちゃん　おめでとう

（くり返して「うたう」）（松下幸子さん・昭和22年生）

あるいはこの歌は、本来、まだ前後に詞章がついていたものが、伝承の過程でそれが脱落してしまったのかも知れない。

また、伝承者の生年から考えて、後になるほど若い方であるのも、伝承の変化を暗示しているような感じを受けさせるのである。

青葉しげちゃん昨日は

青葉しげちゃん昨日は

【手まり歌・米子市観音寺】

青葉しげちゃん　昨日は
いろいろお世話になりました
私も今度の月曜日
東京の女学校に　上がります
あなたも　よくよくご勉強
なされてください　頼みます

（歌い手　浦上房子さん・昭和4年生＝平成6年11月16日収録）

手まり歌としてうたわれていた。年代としては、九十代以上の方々にとって特に懐かしい歌ではないかと思われる。

この替え歌でもあるわらべ歌は全国的にうたわれていたようで、明治生まれである和歌山県出身の私の母も知っていた。これは手まり歌ではあるが、本歌は明治三十二年に熊谷久栄堂から出版された『湊川』という歌の本に出ていた。その替え歌ということになる。

作詞は落合直文。この本では十五章からなっており、そのうちの初めの6章が、特に「桜井の決別」という小見出しがついており、その最初の部分が「青葉しげちゃん」の本歌になる。せっかくなので、二章までを紹介しておこう。

青葉茂れる桜井の
里のわたりの夕まぐれ
木(こ)の下蔭に駒とめて
世の行く末をつくづくと
忍ぶ鎧(よろい)の袖の上(え)に
散るは涙かはた露か

正成(まさしげ)涙を打ち払い
我子(わがこ)正行(まさつら)呼び寄せて
父は兵庫に赴(おもむ)かん

彼方(かなた)の浦にて討死(うちじに)せん
いましはここまで来(き)つれども
とくとく帰れ故郷(ふるさと)へ（金田一春彦・安西愛子編『日本の唱歌』［上］明治編より引用）

なお、「桜井の決別」という小見出しであるが、後には「青葉茂れる桜井の」という題になってうたわれていた。

この物語は、歴史上よく知られた、室町時代末の建武の新政の失敗から約半世紀、戦国時代に移る途中を、南北朝時代と呼んでいるが、その南朝方の武将、楠木正成とその子、正行についてのエピソードをうたっている。

第二次世界大戦まで、小学校教育の国語や歴史、修身などで取り上げられていた美談であった。したがって、子どもたちには親しまれた歌でもあった。

けれども、子どもの世界にあっては、そのような話よりも、主人公を身近な友人にふりかえて、「青葉しげちゃん」なる人物としてうたっている。そして東京の女学校に進学するため、地方から上京するのが別れの理由ということになっている。また、「しげちゃん」の方も、「あなたもよくよくご勉強、なされてください。頼みます」と言っている。

明治、大正のころに流行りだした替え歌である。当時、上京することと、女学校に進学することは大変なことだった。教育は小学校だけで終わる場合が普通だったから、この歌は一般の家庭の子どもたちにとって、一種のあこがれの姿を示しているのかも知れない。

お姉ちゃんお姉ちゃん

お姉ちゃん　お姉ちゃん

【手まり歌・日野郡江府町御机】

お姉ちゃん　お姉ちゃん
言うても返事がない
ゆうべの晩に　婿さんとった

（歌い手　別所清子さん・昭和32年生＝昭和39年8月7日収録）

夏休みのこの日、マイカーで通りかかった私は、このときまだ二十九歳と若かったが、ちょっとした町の中の広場で数名の少女たちが、手まりなどの遊びに興じていた。

そのようなところを、私は車の中に録音機を持っていたので、彼女たちにお願いしてうたってもらった歌の一つがこれであった。

このときの別のからかい歌として、同じ別所さんから次の歌も聞かせていただいている。

指切りげんまん　米百升
嘘ついたら　だめよ
針千本飲んでごせ

歌い手の別所さんは、小学校1年生のかわいい女の子だったことが、鮮明に記憶として、今も残っているが、その別所さんも現在では還暦を過ぎておられるから、しみじみと歳月の流れの速さに驚かされるのである。

ところで、21世紀になった現代では、このようにのんびりした取材は、子どもたちからも警戒されて、とても難しいのではないかと時代の厳しさを思うばかりである。

さて、この歌は相手に呼びかけても返事がないとき、うたってからかうのである。

この歌は、妹が姉をからかった形であるが、友だちの場合は「お姉ちゃん」のところに名前が入る。「花子」なら「花ちゃん」となるのである。また、相手が男の子の場合は、「婿さんとった」のところが、「嫁さんとった」となる。自在に応用をきかせながら、子どもたちは相手の無返答を逆手にとって、楽しい遊びにしてしまう。

隣県の松江市島根町小波でも、このような仲間のからかい歌を聞いている。百合子など「ゆりちゃん」と呼ばれている子どもが対象になっている。

ゆりちゃんてっても　返事がない
かわいい婿さん　もろちゃろか（稲田純子さん・昭和22年生）

対象が男の場合は、もちろん「かわいい婿さん」のところが「かわいい嫁さん」となるのである。

からかい歌にはいろんな種類があるが、男の子の中に女の子が混じっている場合は、次のような歌でからかわれる。八頭郡若桜町大野で聞いた歌。

男の中に　女が一人
やれ恥ずかしや　ヤーイ　ヤイ（中江りつさん・大正2年生）

これと反対に女の子の中に男の子が混じっている場合も、逆にして「女の中に男が一人……」とはやされることは言うまでもない。

あとがき

スマホなどで二次元バーコードを開き、半世紀以上前の方々の肉声を聞いていただけた感想はいかがでしたか。まさか今日のような時代が来るとは、収録当時は想像もしなかったことでしたが、録音音声を残しておいてよかったとしみじみ考えている筆者です。伝承者の皆様もきっとどこかで喜んでくださっていることでしょう。本書が愛好家や研究者の方々のお役に立つことを強く信じています。

本書の制作に当たっては、特に校正の面で出版社側の実にきめ細やかなサポートをいただきました。単なる誤字脱字に留まらず、西暦と元号の照合など、大変なお世話になりました。著者としてこんなに嬉しいことはありません。併せて困難な時代の中で本書の出版を引き受けてくださった今井出版に心からお礼を申し上げます。

令和三年三月

酒井董美

【著者略歴】

酒井　董美（ただよし）　昭和10年（1935）生まれ。松江市出身。

昭和32年（1957）島根大学教育学部中学二年課程修了。昭和45年（1970）玉川大学文学部卒業（通信教育）。島根県下の中学校・高等学校に勤務した後、大学に転じた。

主として山陰両県の口承文芸を収録・研究している。平成11年（1999）、島根大学法文学部教授を定年退官、鳥取短期大学教授となり、平成18年（2006）退職。同年から24年まで出雲かんべの里館長。現在、山陰両県の民話語り部グループ育成に努めている。

昭和62年（1987）第27回久留島武彦文化賞受賞（日本青少年センター）。平成20年度（2008）秋季善行表彰・青少年指導（日本善行会）。平成26年（2014）国際化功労者表彰（しまね国際センター）。

主要著書（口承文芸関係）

『石見の民謡』―山陰文化シリーズ19―西岡光夫氏と共著（今井書店）
『島根のわらべ歌』尾原昭夫氏と共著（柳原書店）
『鳥取のわらべ歌』尾原昭夫氏と共著（柳原書店）
『山陰の口承文芸論』（三弥井書店）
『山陰のわらべ歌』（三弥井書店）
『ふるさとの民話』さんいん民話シリーズ・全15集（ハーベスト出版）
『島根の民謡』―謡われる古き日本の暮らしと文化―（三弥井書店）
『山陰のわらべ歌　民話文化論』（三弥井書店）
野間義学『古今童謡を読む』尾原昭夫氏・大嶋陽一氏と共著（今井出版）
『鳥取のわらべ歌』（今井出版）
『山陰あれこれ』（今井出版）
『海士町の民話と伝承歌』（今井出版）
電子書籍『島根・鳥取の民話とわらべ歌』（22世紀アート）　ほか多数

【イラスト作者略歴】

福本　隆男　昭和34年（1959）生まれ。島根県隠岐郡海士町出身。

島根県立隠岐島前高校卒業後上京。埼玉県三郷市在住。
以下の書籍のイラストを担当している

萩坂　昇『四季の民話』（教育労働センター）
NHK松江放送局制作「山陰の昔ばなし」
酒井董美『島根ふるさとの民話』㈲ワン・ライン）
酒井董美『山陰のわらべ歌』（三弥井書店）
酒井董美『ふるさとの民話』さんいん民話シリーズ・全15集（ハーベスト出版）
『日本海新聞』連載の「鳥取のわらべ歌」「鳥取の民話」（酒井董美執筆）
『島根日日新聞』に連載の「島根の民話」（酒井董美執筆）　ほか多数

新山陰の民話とわらべ歌

2021年３月31日　発行

著　　者	酒井董美
発　　行	今井印刷株式会社
イラスト	福本隆男
発　　売	今井出版
印　　刷	今井印刷株式会社
製　　本	日宝綜合製本株式会社